LES HISTOIRES DRÔLES DE Ti-BOB

1880, rue Sainte-Catherine est, suite 2
Montréal, Québec H2K 2H5
Tél.: (514) 522-2244

Éditeur: Pierre Nadeau

Production: Hélène Noël
Photos: Michel Bédard
Composition et mise en pages: Studio Multi-Concepts
Ronald Martel inc.

Nos remerciements au **réseau Pathonic**

Distribution: Québec Livres
une division du Groupe Quebecor
4435, boulevard des Grandes Prairies
Saint-Léonard, Qc H1R 3N4
Tél.: (514) 327-6900

Dépôt légal: premier trimestre 1990
Bibliothèque nationale du Québec
Bibliothèque nationale du Canada

ISBN: 2-921207-13-3

LES HISTOIRES DRÔLES DE
Ti-BOB
DE CAFÉ
SHOW
Par Robert
DeCourcel

Edimag INC.

TABLE SANS MATIÈRES

Chapite I
L'HUMOUR QUI S'ÉPARPILLE:
(Disparate mais jamais plate)

— Bonjour, madame et monsieur. Que puis-je faire pour vous?
— On voudrait louer une petite villa pour une semaine.
— Il m'en reste justement une.
— Est-ce que c'est bien tranquille?
— Le train passe juste à côté.
— Ça doit déranger, que diable!
— Bah! les deux premières nuits, ça réveille, puis après on s'habitue.
— C'est correct. On va aller coucher ailleurs pour les deux premières nuits.

• • •

— Pour moi, les plus belles vacances, c'est encore la Floride.
— Moi, c'est l'Espagne qui me fournit l'occasion des plus belles vacances.
— Es-tu allé souvent?
— Jamais.
— Comment peux-tu dire que c'est l'Espagne qui t'offre les plus belles vacances?
— Ça fait trois fois que ma femme et ma belle-mère y vont pour un mois.

• • •

— Roule pas si vite, on va se casser la gueule!
— J'peux pas faire autrement, mes freins sont défectueux.
— Y a une côte qui s'en vient. Mais on va se tuer!
— Ya pas de danger. J'connais bien le chemin. Y a un stop en bas de la côte.!

• • •

— Sais-tu pourquoi les Chinois dorment plus vite que les autres?
— Ça leur prend moins de temps à fermer les yeux.

• • •

Au cours d'un naufrage en pleine mer, tous les passagers se bousculaient. Le capitaine se voit obligé d'intervenir:
— Prenez votre temps, il y a de l'eau pour tout l'monde!

• • •

— Avez-vous l'heure, monsieur, s'il vous plaît?
— Fichez-moi la paix et demandez l'heure à quelqu'un d'autre.
— Je ne vous ai pas insulté, monsieur. Je vous ai parlé poliment; répondez-moi poliment.
— Pour que vous commenciez à me faire la causette; pour que vous descendiez au même arrêt que moi; pour que vous suggériez ensuite d'aller prendre un p'tit verre; pour que vous me disiez que vous êtes de l'extérieur et que vous ne connaissez personne; pour que vous vous faissiez inviter à souper à la maison; pour que vous rencontriez ma fille célibataire et commenciez à lui faire la cour, pour finir par la demander en mariage? Non, non et non. Laissez-moi vous dire que jamais, au grand jamais, je donnerai ma fille à un sale quêteur qui n'a même pas une cenne pour s'acheter une montre.

• • •

— Mon bon monsieur, vous n'auriez pas 50 cennes pour un pauvre aveugle comme moi?
— Comment aveugle? Vous avez un oeil grand ouvert!
— O.K. d'abord, est-ce qu'on peut s'arranger pour 25 cennes?

• • •

Un très gros monsieur est assis dans un autobus et sa braguette (fermeture-éclair) est entrouverte. Une vieille dame lui fait remarquer d'un air timide:
— Monsieur, j'aperçois un petit quelque chose...
— Vous êtres bien chanceuse, madame. Moi ça fait des années que je n'ai rien vu.

• • •

— Où t'en vas-tu comme ça, ma petite fille?
— J'm'en vais mener la vache au taureau.
— Ton père ne pourrait pas faire ça lui même?
— Non, monsieur, il faut absolument que ça soit le taureau.

• • •

— Qu'est-ce que cela signifie quand une femme au volant maintient son bras à l'extérieur de la portière?
— Il y a deux raisons à cela. Soit qu'elle veuille s'assurer qu'il ne pleut pas ou elle veut se faire sécher les ongles.

• • •

— J'ai un rossignol extrêmement intelligent. Quand il aperçoit une femme vêtue de bleu, il chante «La dame en bleu».
— Si une autre a une robe rose, il chante: «La vie en rose».
— S'il remarque une femme nue, tu l'entends chanter: «Je te réchaufferai».

• • •

— L'autre nuit, je me fais réveiller par le téléphone. Encore tout confus, je réponds: Vous vous trompez d'imbécile, espèce de numéro.

• • •

La meilleure façon d'attirer une femme devant une vitrine, c'est encore de placer un grand miroir en plein centre.

• • •

— Mademoiselle, vous venez de gagner une nuit d'amour avec la vedette masculine de votre choix.
— Dans ce cas, je choisis les Compagnons de la chanson.

• • •

Un Russe fait visiter Moscou à un ami canadien. Ils passent devant plusieurs immeubles dont les fenêtres sont garnies d'imposants barreaux:
— Ici, explique le Russe, c'est le quartier de la presse!

• • •

— Connaissez-vous le plat national des cannibales?
— Le croque-monsieur.

• • •

— Sais-tu pourquoi les Chinois dorment plus vite que les autres?
— Ça leur prend moins de temps à fermer les yeux.

• • •

— On dit que le viol est devenu plus difficile depuis que les femmes ont recommencé à porter la robe.
— Il me semble que ce n'est pas logique.
— C'est plus facile pour la femme de s'enfuir avec la robe retroussée que ce l'est pour un homme avec les culottes baissées.

• • •

— Aurais-tu des ampoules brûlées?
— Quelques-unes, oui. Qu'est-ce que tu veux faire avec ça?
— Ce serait pour éclairer ma chambre noire.

• • •

— Une femme ayant deux perroquets ne pouvait distinguer le mâle de la femelle.
— Un jour, elle s'aperçut que l'un d'eux faisait des avances à l'autre. Elle en conclut qu'il était le mâle et lui attacha une petite boucle autour du cou.
— Quelque temps plus tard, elle reçoit des invités et, parmi eux, il s'en trouve un qui porte une boucle semblable.
— Le perroquet ne perd pas de temps:
— Tiens, toi aussi, tu fais l'amour avec ton cousin.

• • •

— J'ai inventé une pilule qui fait oublier la soif dans le désert.
— Je t'en félicite.
— Mais il y un problème.
— Lequel?
— Il faut la prendre avec un verre d'eau.

• • •

Elle renifle.
Il la regarde.
Elle renifle.
Il la regarde.
Elle renifle de plus en plus.
Il la regarde de plus en plus.
— Vous n'avez pas de mouchoir, madame?
— Oui monsieur, mais je refuse de le prêter à un pur étranger.

• • •

— Sens-tu quelque chose?
— Non.
— Ça sent le cèdre; le voisin est en train de couper sa haie.
— Sens-tu quelque chose?
— Non.
— Le boulanger du coin fait du pain; ça sent le pain chaud.
— Sens-tu quelque chose?
— Non.
— Le troisième voisin est après passer au feu. Ça sent le caramel.
— Et puis?
— Il est diabétique.

• • •

— Mon Dieu que vous tricotez vite, madame.
— Il le faut bien si je veux terminer mes chaussettes avant de manquer de laine.

• • •

Au cours d'une ligne ouverte à la radio, le thème proposé était: « La vie religieuse en France». Une dame téléphone et commence à donner une recette de cuisine. L'animateur intervient:
— Madame, attention, vous êtes sur les ondes.
— Je le sais bien. C'est parce que ma soeur reçoit à dîner ce soir et elle n'a pas le téléphone.

• • •

— Rosanne, je ne vous pardonnerai jamais d'avoir fait cuire mon beau perroquet comme une vulgaire poule. Lui qui était si intelligent; n'oubliez pas qu'il parlait cinq langues.
— Dans ce cas-là, il aurait bien pu m'avertir.

• • •

— Vézina, le bûcheron, y a vraiment rien à son épreuve.
— Je l'sais; y coupe même des arbres avec ses dents.
— Ce gars-là, y a eu seulement deux malaises dans sa vie. Le premier qu'il a ressenti, c'est quand il s'est assis sur un piège à ours.
— Et le deuxième?
— C'est quand il est arrivé au bout de la chaîne.

• • •

Une quêteuse tend à un monsieur une boîte avec une fente sur le dessus.
Après avoir bien examiné la boîte, le monsieur réplique:
— Je regrette de ne pouvoir rien prendre; la fente est trop petite et j'ai les doigts trop gros.

• • •

— Les cents dollars que vous me devez, c'est pour quand?
— J'ai déjà commencé à rembourser mes différents créanciers par ordre alphabétique. Ça ne saurait tarder, monsieur Watier.

• • •

— Un paysan fait de l'auto-stop avec sa vache. Un bon samaritain l'accueille dans sa voiture et attache la vache derrière le véhicule.
La vache suit allègrement et ne tire pas trop de la patte...
Dans son rétroviseur, le conducteur voit la vache qui tire la langue vers la gauche.
Il demande au paysan:
— Pourquoi elle fait ça?
— C'est parce qu'elle veut doubler...

• • •

— Vous arrivez de Rusie et vous avez demandé asile au Canada. Pourquoi?
— On peut pas se plaindre.
— Comment est le niveau de vie chez vous?
— On peut pas se plaindre.
— Est-ce qu'on peut se procurer tout ce que l'on veut dans les magasions, en Russie?
— On peut pas se plaindre.
— Pourquoi demandez-vous asile au Canada?
— Parce qu'on peut se plaindre.

• • •

— Allô, ici la résidence des Laflamme.
— Ah! c'est toi, espèce d'idiot, tête enflée, vaurien et prétentieux, par-dessus le marché!
— Un moment, je vous prie madame, je vais chercher monsieur.

• • •

— Un haut dignitaire visite un asile d'aliénés.
— Je vous félicite, madame la directrice, votre institution me semble bien tenue. Une simple remarque en passant: j'ai observé, à mon arrivée, que tout le monde m'applaudissait, exceptée cette dame vêtue de jaune, à votre droite.
— C'est que, Votre Altesse, cette dame en jaune n'est pas folle.

• • •

— C'est terrible comme j'ai des problèmes avec ma radio d'auto.
— Tu devrais te faire installer une radio japonaise.
— Impossible, j'comprends pas le japonais.

• • •

— Voulez-vous bien me dire pourquoi vous me téléphonez en pleine nuit? Vous ne me connaissez pas et je ne vous connais pas.
— C'est pour profiter du tarif réduit.

• • •

— Il n'y a rien de plus épuisant qu'une campagne électorale. Je suis presque aussi fatigué que je l'étais le lendemain de ma première nuit de noces.
— T'en mets un peu, non?
— Tu peux me croire, la campagne électorale est terminée.

• • •

Un monsieur, qui porte des verres fumés et a une tasse à la main, est assis sur un banc public. Un passant lui jette une pièce qui roule par terre. Le monsieur se précipite et la ramasse promptement.
— Dites donc, mon brave, vous n'êtes pas aveugle?
— Mais non, je ne le suis pas. J'ai bien le droit de m'asseoir, puis de boire un bon café.

• • •

— Haut les mains, madame, c'est un hold up.
— Je n'ai absolument rien dans mon sac.
— Vous avez raison. Alors je vais être obligé de vous fouiller.
— IL LA FOUILLE PARTOUT.
— Vous n'avez pas une maudite cenne.
— Ça ne fait rien, continuez de me fouiller, je vous ferai un chèque.

• • •

Superman dit à Batman:
— Hier, je survolais Hollywood puis j'ai vu Wonderman qui se faisait bronzer dans son plus simple appareil. J'ai atterri tout près de là et je me suis précipité sur elle.
— Elle a dû être surprise?
— Un peu, mais c'est l'home invisible, qui était avec elle, qui a semblé le plus surpris.

• • •

Une question piégée:
— Est-ce qu'un insomniaque ne dort pas de la nuit parce qu'il a les yeux ouverts ou si, c'est justement parce qu'il a les yeux ouverts qu'il ne dort pas?

Une question méchante:
— Savez-vous pourquoi les discothèques marchent bien?
— Parce que c'est le seul endroit encore ouvert quand les femmes ont fini de se préparer.

• • •

Dans la rue, un monsieur s'arrête devant un mendiant et lui dit:
— Je regrette, je n'ai pas de monaie. Je vous donnerai quelque chose en revenant tout à l'heure.
— D'accord, mais si vous saviez tout ce que j'ai déjà perdu en faisant crédit...

• • •

— Je regrette, mon ami, mais je ne donne jamais d'argent à qui mendie dans la rue.
— Je peux vous comprendre. Montez donc à mon bureau!

• • •

Une pauvre dame qui n'avait jamais voyagé demande au douanier:
— Quand vous faites une croix sur mes valises, est-ce que ça veut dire que j'ai gagné?

• • •

— Nous, aux États-Unis, on est parfaitement libre. On peut rire de notre George Bush tant qu'on veut, sans craindre de représailles.
— Nous, en Russie, on est aussi parfaitement libre. On peut rire de votre George Bush tant qu'on veut, sans craindre de représailles.

• • •

Dans une bibliothèque publique:
— Madame, j'ai trouvé un billet de banque de 100 $ dans cet ouvrage. En avez-vous un autre du même auteur?

À l'aéroport international, il y a une foule énorme devant le guichet d'une compagnie aérienne. Une femme, accompagnée de ses enfants, confie à sa voisine:
— J'ai peur que lorsque notre tour arrivera, les enfants n'auront plus droit au demi-tarif.

• • •

Le directeur d'un asile fait visiter l'établissement à un journaliste:
— Ici, c'est la salle des obsédés de l'automobile.
— Mais, je ne vois personne.
— Ils sont tous sous leurs lits... ils réparent!

• • •

— Connaissez-vous la nationalité d'un Noir qui traverse un tunnel?
— C'est un Ivoirien.

• • •

— Moi, grand chef Aigle de fer annoncer que guerre finie avec Petit nuage d'argent.
— Grand chef enterré hache de guerre?
— Non, grand chef enterré Petit nuage d'argent.

• • •

Le maire d'un petit village était tellement fier de sa Ligue antialcoolique qu'il a convié tous ses membres à un vin d'honneur.

• • •

Un bébé naît en riant à gorge déployée en tenant sa petite main fermée hermétiquement.
Intriguée, l'infirmière réussit à lui ouvrir la main et l'enfant se met à rire encore plus fort.
À sa grande stupéfaction, l'infirmière découvre que le bébé tenait une pilule anticiconceptionnelle!

— Quelle différence y a-t-il entre un morpion et un politicien?
— Aucune. Les deux adhèrent aux parties...

• • •

Le petit Raoul visite une ferme pour la première fois:
— Elle est grosse votre vache, monsieur?
— C'est parce qu'elle porte un veau.
— Par où il est entré?...

• • •

Dans un bal masqué, un invité, déguisé en ours, tombe évanoui.
L'hôtesse s'écrie:
— Vite, qu'on appelle un vétérinaire!

• • •

— Cet avis est affiché à la porte d'un cimetière de campagne:
«On n'enterre dans ce cimetière que les personnes qui vivent dans ce vilage.»

• • •

Un touriste arrête sa voiture à l'entrée d'un village et demande à un passant:
— Comment s'appellent les habitants de ce vilage?
— Oh! vous savez monsieur, je les connais pas tous!

• • •

Chapitre II
L'HUMOUR QUI SE COMMANDE:
(Dans l'armée... avant les coupures budgétaires)

— Soldat Lanoue.
— Oui, mon colonel.
— Avez-vous bien compris mes instruction?
— Oui, mon colonel.
— Je vous répète les principales instructions d'un parachutiste: il doit se tenir prêt à sauter; au feu vert, il s'élance dans le vide. Le parachutiste doit compter jusqu'à dix. À dix, il tire le cordon afin de libérer son parachute. Le parachutiste se laisse tomber sur le sol dans un mouvement de roue.
— Eh! mon colonel, si le parachute ne s'ouvre pas?
— Vous passez au magasin; on vous en donne un autre.

• • •

— Soldat Latrimouille, répondez à ma question.
— Oui, mon capitaine.
— Il y a le feu dans la caserne. Que faites-vous?
— Je crie, mon capitaine?
— Vous criez quoi, soldat Latrimouille?
— Cessez-le-feu!

• • •

— Les gars, avez-vous pris connaissance de la nouvelle tactique des Russes pour intimider les Américains?
— Non.
— La semaine dernière, il y a un fonctionnaire russe qui a commandé aux Américains 300 000 douzaines de préservatifs, grandeur 25 cm de long sur 20 cm de circonférence.
— Les Américains ont rempli la commande et inscrit sur les boîtes: «taille moyenne».

• • •

— Il y a longtemps que t'as vu Anselme?
— La dernière fois, il voulait devenir marin. Il disait qu'il voulait voir le monde, mais y a pas été chanceux.
— Comment ça?
— Il est entré dans la marine, puis dès le lendemain, il a été muté dans un sous-marin.

• • •

— Mon cher ami, vous voulez devenir soldat?
— Oui, monsieur l'officier.
— Vous sentiriez-vous capable de faire de longues heures; coucher à la belle étoile; vous débrouiller dans les pires situations?
— Pas de problème, j'ai du caractère et je suis déterminé.
— Seriez-vous capable de tuer un homme?
— Peut-être pas tout de suite comme ça là, mais laissez-le-moi une semaine, puis y en restera pas gros.

• • •

— Mon capitaine, j'ai un problème: je n'arrive pas à me faire comprendre par mes hommes.
— Un sergent qui n'arrive pas à se faire obéir de ses subordonnés est un imbécile. M'avez-vous bien compris, sergent?
— Non, mon capitaine.

• • •

— Quand le général vous passera en revue, je veux que mes hommes soient impecccables, autant au niveau de la tenue qu'à celui du langage. Quand il vous demandera depuis quand vous êtes ici, vous répondrez: «deux mois, mon général» À la question: quel est votre âge: «Vingt ans, mon général.».
LE GÉNÉRAL FAIT SON INSPECTION.
— Quel âge avez-vous?
— Deux mois, mon général.
— Depuis quand êtes-vous là?
— Vingt ans, mon général.
— Dites donc, me prenez-vous pour un imbécile ou un idiot?
— Les deux, mon général.

• • •

— Pourquoi es-tu entré dans l'armée?
— J'étais célibataire et j'aimais la guerre. Et toi?
— J'étais marié et j'aimais la paix.

• • •

Chapitre III
L'HUMOUR QUI SE CONJUGUE:
(Après avoir dit: «Oui»)

— J'ai pas toujours été chanceux avec mes deux femmes. La première est partie. La deuxième est restée.

• • •

— Te souviens-tu, mon vieux, comme tu étais passionné quand on s'est marié?
— Si tu le dis, ma vieille, ça doit être vrai.
— J'avais même pas le temps d'enlever mes bas. Comme les temps changent...
— Autant que ça?
— Tu parles... Aujourd'hui, j'aurais le temps de m'en tricoter une paire!

• • •

— As-tu profité de la permission spéciale pour écrire?
— Oui, mais j'te dis que c'est pas facile d'écrire une lettre à ta femme pour lui exprimer tes sentiments rien qu'en cinq mots.
— Qu'est-ce que t'as écrit?
— «J'ai bien envie de te...»
— Et toi?
— «Ma chérie je voudrais te...»
— J'sais pas si elles vont comprendre. Toi, Ti-Gus, qu'estce que t'as écrit?
— Moi, j'suis sûr qu'elle va comprendre. J'ai écrit: «C'est "ben" dur sans toi».

• • •

— Chéri, c'est notre voyage de noces, on devrait faire l'amour chaque fois que les cloches de l'église sonnent...
LE LENDEMAIN, LE NOUVEAU MARIÉ SE REND AU PRESBYTÈRE:
— M. le curé, voici 50$ pour vos bonnes oeuvres. Serait-il possible que vous fassiez sonner vos cloches rien qu'aux deux heures?
— Cela me paraît difficile. Une petite dame est venue me donner 100$ tantôt pour mes bonnes oeuvres en me demandant de faire sonner les cloches à toutes les demi-heures.

— Moi, j'me suis marié sur un coup de tête puis j'ai pas été déçu.
— Moi, j'me suis marié à cause de mes croyances puis j'le regrette amèrement.
— Comment ça tu t'es marié à cause de tes croyances?
— J'croyais que ma femme était riche mais elle a pas une maudite cenne.

• • •

— Mon mari, t'étais pas beau à voir hier soir quand t'es rentré.
— Pourquoi tu dis ça, ma femme?
— T'étais joliment «paqueté»! Tu me l'as même avoué.
— Tu devrais pourtant savoir que j'dis n'importe quoi quand j'suis soûl.

• • •

— Moi quand je veux sortir, je n'ai pas de problème avec ma femme. Je dis je sors et je sors.
— Moi aussi, sauf que ça me prend deux bonnes raisons.
— Pourquoi deux raisons, une ne suffit pas?
— Ça me prend une raison pour sortir puis une autre pour que ma femme ne vienne pas avec moi.

• • •

— Dis-moi Tancrède, ça va déjà plus avec ta femme? Ça fait une semaine que vous êtes mariés.
— L'autre soir, quand on s'est couchés pour la première fois, elle m'a dit: «Tancrède, j'ai le trac.»
— N'oublie pas que ta femme est comédienne, elle est habituée à ce mot-là, c'est tout.
— Elle a ajouté: «C'est comme au théâtre, même à la 500e, on a toujours le trac.»

• • •

— Si un jour je me marie, je veux une femme belle, riche, aimable, affectueuse, fidèle et dévouée.
— Comme ça t'as envie de te marier plusieurs fois.

• • •

— Elzéar, aimes-tu une femme avec les cheveux gras, les dents jaunes et qui a des boutons?
— Non,
— Alors, laisse donc ma femme tranquille.

• • •

Réflexion sur le mariage:
Aujourd'hui, il y a des jeunes qui se marient par amour, d'autres pour l'argent. Dans les deux cas, ce n'est jamais pour longtemps.

• • •

— T'arrives donc bien tard, mon mari?
— Je me suis engueulé avec mon patron. Je lui ai dit tout ce que j'avais dans le coeur.
— T'aurais dû lui dire tout ce que tu avais dans la tête, ça aurait pris pas mal moins de temps.

• • •

— J'ignorais que l'hypnotisme ressemblait à ce point au mariage.
— Je ne vois vraiment pas le rapport.
— Dans le dictionnaire, il est écrit, hypnotisme: l'art de placer un homme sous son pouvoir complet et de lui faire faire ce qu'on veut.

• • •

— Comment, ma femme, je te surprends au lit avec ce mendiant! Peux-tu m'expliquer ce geste insensé?
— Écoute, chéri, il a sonné à la porte et m'a demandé: "Est-ce que vous n'auriez pas quelque chose que votre mari n'utilise pas?"

• • •

Sa femme ayant donné le jour à des triplés, un pauvre campagnard ignorant est à la recherche des deux autres heureux papas pour les féliciter!

— Ah! mon trésor, quand je me rase le matin, j'ai l'impression de rajeunir de vingt ans.
— Justement, si ça te rajeunit de vingt ans quand tu te rases le matin, tu ne pourrais pas te raser avant de te coucher?

• • •

— Tu sais, avant de t'épouser, j'ai connu des hommes beaucoup plus intelligents que toi.
— Je n'ai pas de misère à le croire. La meilleure preuve, c'est qu'ils n'ont pas commis l'erreur que j'ai faite.

• • •

— Ma femme, tu est enfin de retour?
— Mon mari, je suis enfin de retour.
— Tu regrettes ta conduite passée?
— Je regrette ma conduite passée.
— Tu reprends ta place au foyer?
— Je reprends ma place au foyer.
— Tu t'es rendu compte que tu aimais ton p'tit mari?
— Je me suis rendu compte que j'aimais mon p'tit mari.
— Tu jures que tu n'auras jamais plus d'amants?
— Passe-moi donc les patates que je prépare le souper.

• • •

— On parle pour parler, mais sais-tu, ma vieille que si tu donnais du lait et pondais des oeufs, on pourrait se débarrasser de nos vaches puis de nos poules?
— Puis toi, mon vieux, si ton "machin" était prêt plus souvent, on pourrait se débarrasser de notre homme à tout faire.

• • •

— Espèce de mufle, de salaud; tu es un mari idiot. Tu répètes à tout le monde que tu m'as épousée pour mon argent, alors que tu sais très bien que je n'avais pas un sou.
— Quelle raison veux-tu que je donne?

• • •

— As-tu vu la jolie femme qui vient d'entrer?
— Bien oui. Je ne sais pas si je pourrais la séduire?
— Tu peux toujours t'essayer, à condition que tu me fasses part des résultats.
— Mais pourquoi?
— Parce que c'est ma femme.

• • •

— Voyons, mon Séraphin, tu t'fais du mauvais sang pour rien.
— Y a d'quoi, viande à chien, c'est la quatrième fille qu'on marie; ça va coûter cher sans bon sens.
— Not' fille va mettre la même robe que les trois autres, puis à va pouvoir mettre les souliers de sa soeur. Eh! mon vieux, y a même un restant de gâteau du dernier mariage.
— Pis les fleurs, qu'est ce que t'en fais, Donalda?
— On a encore les fleurs en plastique qu'on avait reçues pour Zéphirine.
— Ce mariage-là va me ruiner, ma vieille. Pense aux confettis.

• • •

— Une femme décide de revenir au foyer après trois ans de libertinage. Son avocat la supplie d'être le plus naturelle possible avec son mari.
— Bonjour, chérie, te revoilà enfin.
— Je m'excuse pour ce léger retard, mon amour. Ce fameux coiffeur, il n'en finissait plus avec ma nouvelle teinture.

• • •

— Puis, Hector, toi qui viens de convoler, trouves-tu que ça coûte cher le mariage?
— Bien ma femme et moi, on a adopté un mode de vie assez strict: on mange à l'extérieur la plupart du temps.
— Mais ça doit vous coûter une fortune?
— Non. Nous allons chez ma mère, chez la mère de ma femme, chez ma mère, chez le mère de ma femme, et ainsi de suite...

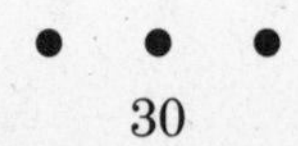

— Chérie, quand je me suis marié, je n'aurais jamais pensé qu'une femme pouvait coûter aussi cher.
— C'est vrai, mon amour, que je coûte cher. Mais en revanche, je dure longtemps.

• • •

Une femme à son mari:
— Bien sûr que je dépense plus que tu ne gagnes, mais j'ai tellement confiance en toi!

• • •

Au théâtre, une femme se penche vers son mari:
— Regarde, mon voisin de droite s'est endormi.
— Et alors? C'est pour ça que tu me réveilles!

• • •

— Ne me dites pas, madame Lalancette, qu'il vous arrive jamais de vous chicaner avec votre mari?
— Jamais, au grand jamais.
— C'est peut-être parce que vous n'êtes pas faits pour aller ensemble...

• • •

— Ma femme rêve toutes les nuits qu'elle est mariée avec un millionnaire.
— Chanceux va! La mienne fait le même rêve, seulement c'est en plein jour!

• • •

— M. et Mme Desfossés visitent Paris et s'arrêtent au cimetière du père Lachaise. Ils tombent en admiration devant un tombeau à trois étages, caveau d'une noble et riche famille. M. Desfossés ne peut s'empêcher de dire à sa femme:
— Mon Dieu qu'il y a des gens qui savent profiter de la vie!

• • •

— Ma femme, si Théodore me rembourse enfin, nous partirons en vacances.
— Et s'il ne te rembourse pas?
— C'est lui qui partira...

• • •

— Est-ce que votre femme est là, monsieur?
— Non.
— Est-ce que je peux l'attendre?
— Oui.
— Pourriez-vous me dire où est allée votre femme?
— Au cimetière.
— Va-t-elle revenir bientôt?
— Aucune idée. Ça fait déjà 11 ans qu'elle y est!

• • •

— Madame Lapincette, qu'est-ce qu'il fait votre mari?
— Il fait ce que je lui dis de faire!

• • •

— Moi, ça ne me dérange pas que ma femme me trompe, du moment que je n'en sais rien.
— C'est bien pour ça que, depuis deux ans, ta femme et moi ne t'en avons rien dit.

• • •

— À chaque fois que nous venons de faire l'amour, ma femme se met à parler latin sans jamais l'avoir appris.
— Qu'est-ce qu'elle dit?
— Bis, bis...

• • •

— Après une violente dispute avec sa femme, un mari se dirige vers la porte:
— Je te quitte. Je vais m'engager dans la Légion étrangère. J'affronterai tout pour t'oublier: la soif, les bêtes féroces, l'ennemi sauvage... Il ouvre la porte et la referme brusquement:
— Compte-toi chanceuse. Il commence à pleuvoir.

• • •

Un mari reçoit une lettre. Il ouvre l'enveloppe avec impatience et y trouve une feuille blanche:
— Ça doit venir de ma femme. Ça fait trois ans qu'on se parle plus.

• • •

Quand je pense, soupire un mari brimé, qu'un inventeur a passé des mois, des années peut-être, à mettre au point un détecteur de mensonge, alors qu'il aurait pu obtenir le même résultat s'il avait rencontré ma femme.

• • •

— Un mari s'inquiète en voyant que sa femme a un peu mal au coeur:
— C'est pas parce que t'attends un enfant, j'espère?
— Je te jure que si c'était le cas, c'est ton ami Henri qui en entendrait parler...

— Avec ma femme, impossible d'avoir le dernier mot.
— Avec la mienne, c'est pareil, sauf hier soir.
— Qu'est-ce que tu lui as dit?
— «T'as raison mon amour».

• • •

Chapitre IV
L'HUMOUR QUI PASSE AU CASH:
(Magasins, entreprises, services)

— Alors, monsieur voudrait un pantalon?
— Je voudrais pas payer cher.
— J'ai celui-ci à 100$.
— Trop cher. Je veux quelque chose de moins coûteux.
— J'ai ce modèle à 75$.
— Je veux pas payer si cher.
— Voici celui-ci à 50$.
— Non.
— Le moins cher est à 25$.
— Non.
— «Ben» alors je vous le donne.
— Ça va, je vais en prendre deux paires.

• • •

— Voilà, madame, votre téléviseur est prêt.
— Je vous en remercie monsieur, en espérant qu'il fonctionne bien, encore longtemps.
— Y a pas de problème. Vous avez un bon appareil qui est toujours sur la garantie.
— Avant que vous ne quittiez, j'aurais envie de vous demander un petit service, mais je ne voudrais pas vous obliger.
— N'importe quoi, madame, si je peux vous faire plaisir.
— C'est que, en ce moment, mon mari est un peu fatigué; il a beaucoup travaillé ces derniers mois, et enfin, vous comprenez... Moi, je suis une femme et vous un homme. Alors j'ai pensé que, peut-être...
IL SE JETTE SUR ELLE!
— Vous n'êtes qu'un pauvre sadique, un maniaque sexuel. Je voulais simplement vous demander de m'aider à changer le buffet de place.

• • •

— Monsieur, nous avons une belle tondeuse en spécial cette semaine.
— Je ne suis pas intéressé, parce qu'il n'y a que du sable dans ma cour.
— Pas de problème; nous avons aussi des sableuses en spécial.

• • •

— Monsieur, la semaine dernière je suis venu vous voir pour acheter un bon chien de garde. Vous m'avez vendu un gros berger allemand.
— C'est exact. Je m'en souviens.
— Votre fameux berger allemand, y dort tout l'temps et, comble de malheur, j'ai été cambriolé hier et y s'est même pas réveillé.
— Alors je vais vous vendre un tout p'tit chien au sommeil léger; ainsi en cas de besoin, il pourra réveiller votre gros berger allemand.

• • •

— Monsieur, vous m'avez vendu un perroquet jaune et brun en m'assurant qu'il était bon pour 10 ans. Or, il est mort hier.
— C'est justement, votre perroquet a eu 10 ans hier.

• • •

— Madame la voyante, dites-moi vite ce qu'il y a dans votre boule de cristal.
— Vous le saurez bien assez tôt, chère madame. Concentrez-vous, je vous en supplie. Je vois que vous allez connaître une période économique très difficile et une santé fort précaire durant les cinq prochaines années...
— Et après cinq ans?
— Vous allez commencer à vous habituer.

• • •

— M. le serrurier, merci d'arriver enfin! J'ai laissé mes clés dans l'auto.
— Mais, vous n'en aviez pas d'autres?
— C'est ma femme qui les a, mais ça fait trois heures qu'elle est enfermée dans l'auto...

• • •

Un entrefilet publié dans le journal se lit comme suit:
Avec notre petit modèle de voiture, votre maison paraîtra plus grande.

• • •

— Monsieur, cet ordinateur est tout à fait efficace. On ne peut vraiment s'en passer.
— Prouvez-le-moi et je l'achète tout de suite.
— Avec cet appareil, vous pouvez tout faire: la comptabilité, la facturation, le budget, etc. Cette merveilleuse invention peut faire la moitié de votre travail, à elle seule.
— Vous voulez dire que cette machine peut faire la moitié de mon ouvrage?
— Absolument.
— Parfait. Dans ce cas-là, je vais en acheter deux.

• • •

— M. le garagiste, pourriez-vous venir me dépanner; j'ai oublié mes clés dans ma voiture.
— Je ne penserais pas que ça soit possible avant une bonne heure.
— Tâchez de faire ça vite, mon toit est baissé et il neige à plein temps.

• • •

— Mademoiselle, je vous rapporte le chandail que vous m'avez vendu hier.
— Mais pourquoi, il est trop petit ou trop grand?
— Vous m'aviez dit qu'il était 100% laine et sur l'étiquette, c'est écrit: 50% laine; 50% coton.
— C'est pour tromper les mites, monsieur.

• • •

— Vous désirez un passeport, monsieur? Êtes-vous sujet canadien?
— Ma mère était Canadienne, mais elle a marié un Français, en Italie.
— Où êtes-vous né?
— Je suis né sur un bateau espagnol ancré dans le port d'Honolulu, mais mes parents sont morts au Japon. J'avais quatre ans quand j'ai été adopté par un Chinois qui m'a amené en Russie.
— Finalement, qu'est-ce que j'écris comme nationalité?
— Tiens, mettez donc: Nations Unies.

• • •

— Achetez des cartes postales! Achetez des cartes postales!
— J'ai bien d'autres choses qui me trottent dans la tête, monsieur.
— Je vends aussi de beaux petits peignes fins.

• • •

— Salut, mon ami. C'est à propos de la voiture que j'ai achetée ici la semaine dernière.
— Je me souviens de vous avoir vendu la belle petite jaune, six cylindres.
— C'est concernant la garantie. Vous m'avez dit que vous remplaceriez tout ce qui est brisé.
— Si je regarde bien votre contrat, vous avez raison.
— Alors, vous pourriez pas me remplacer ma porte de garage, puis trente pieds de clôture?

• • •

— Allô, service d'incendie?
— Oui, monsieur, je vous écoute.
— Dépêchez-vous, le feu est pris ici.
— Dites-nous comment nous y rendre?
— Comment, vous n'avez pas de camions à incendie?

• • •

— M. le dépanneur, je voudrais avoir un litre de lait, une douzaine de bières puis un gratteux.
— C'est tout?
— Non, une minute.
IL S'ADRESSE À SA FEMME:
— Est-ce qu'on sort ce soir?
— Non, mon vieux.
— M. le dépanneur, ajoutez donc une demi-douzaine de condoms.

• • •

— Pourquoi voulez-vous des verres de contact?
— Afin de m'aider à retrouver mes lunettes quand je me lève le matin.

• • •

— J'te dis que ce nouvel appareil pour mieux entendre, c'est merveilleux.
— Combien l'as-tu payé?
— Il est seulement 2h00.

• • •

— Bonjour, monsieur. Mon mari est décédé et je viens toucher le chèque de son assurance-vie.
— Votre mari n'avait pas d'assurance-vie, madame; il était assuré contre le feu.
— C'est en plein ça, payez-moi, je l'ai fait incinérer.

• • •

— Ma grange vient de brûler. Je viens me faire rembourser.
— Vous avez mal lu votre police: on ne rembourse pas, on vous remplace votre grange.
— Ah! bon. D'abord je viens annuler l'assurance-vie de ma femme.

• • •

— Pour une fois, j'ai eu le dernier mot avec ma femme au magasin de fourrures.
— Bravo pour toi. Qu'est-ce que tu lui as dit?
— Achète-le.

• • •

— Monsieur, ça fait trois mois que j'ai réparé vos souliers, puis je n'ai pas encore été payé.
— Patience, monsieur le cordonnier, laissez-moi d'abord payer mes souliers.

• • •

— Allô, si j'appelle au poste de pompiers, monsieur, c'est parce que ma femme a été victime d'une grave distraction: elle a mis la bouilloire sur la chaise puis s'est asssise sur le rond du poêle allumé. Que faire?
— C'est bien simple, quand elle commencera à siffler, éteignez le rond.

• • •

— Combien pour ce bel oiseau, monsieur?
— Madame, il est tellement susceptible que j'aimerais mieux que vous traitiez directement avec lui.

• • •

— Je voudrais un filet à cheveux invisible pour ma femme.
— Voilà, monsieur.
— Vous êtes sûr qu'il est invisible? Ma femme a bien insisté là-dessus.
— Invisible, monsieur? Écoutez j'ai pas arrêté d'en vendre toute la matinée, alors que nous en manquons depuis deux jours!

• • •

— Est-ce que mes films à développer, que je vous ai apportés hier, sont prêts?
— Non, je regrette, madame.
— Pourtant, vous annoncez un service de 24 heures?
— Oui, ça veut dire 3 journées de 8 heures.

• • •

Chez le dentiste:
— Votre dent est morte, madame Tartampion. Je vais lui mettre une couronne.
— Non, non, laissez faire, docteur, je préfère l'enterrer sans cérémonie.

• • •

Dans un magasin de chaussures se présente un client qui pue des pieds. Après avoir essayé plusieurs paires, le commis fortement incommodé, finit par lui dire:
— Tenez, cette paire de souliers, je vous la donne, à condition que vous partiez tout de suite.
Le client prend la porte et, avant de sortir, lâche un énorme pet.
— Avec ça, est-ce que vous pourriez me donner aussi une boîte de cirage?...

Chez le bijoutier:
— Bonjour, monsieur. Quel article avez-vous pour le quatrième jour après l'anniversaire d'une épouse?

• • •

— Combien pour ce joli fauteuil victorien, monsieur?
— Deux mille dollars, madame.
— Eh bien! pour un antiquaire, je trouve que vos prix sont pas mal modernes!

• • •

Une femme, chargée de paquets, monte dans un autobus avec un enfant en bas âge. Elle prévient le conducteur qu'elle va revenir payer sa place. Elle regarde autour d'elle et pose son bébé sur les genoux d'un voyageur estomaqué:
— Pourquoi, moi, madame?
— Parce que vous êtes le seul à porter un imperméable!

• • •

Le patron d'un magasin se précipite à l'agence de placement:
— Monsieur, je cherche un caissier.
— Mais je vous en ai envoyé un pas plus tard qu'hier.
— Justement, c'est lui que je cherche...

• • •

— M. le bijoutier, je vous confie ma montre pour la faire réparer.
— Qu'est-ce qu'elle a votre montre?
— J'ai eu la malchance de l'échapper.
— Dites plutôt que vous avez eu la malchance de la ramasser...

• • •

Chez la voyante:
— Je vous vois avec un bel avenir, avec un bel uniforme et vous gravirez tous les échelons...
— Ne vous cassez pas la tête, madame. Je suis pompier!

• • •

Un boulanger s'engueulait avec un client. Témoin de la scène, une vieille dame me glisse à l'oreille:
— Avez-vous remarqué que la colère du boulanger va toujours croissant?...

• • •

Madame chez sa couturière:
— Vous mettez un mois à faire ma robe alors que Dieu a créé le monde en six jours!
— Et vous trouvez qu'il a réussi?...

• • •

Le coiffeur réclame à son client le prix d'un double rasage:
— Pourquoi devrais-je payer en double?
— Parce que vous avez un double menton...

• • •

Dans une acierie, un menuisier se coupe une oreille. Tout le monde se précipite à la recherche de son oreille. Quelqu'un la trouve enfin:
— La voilà ton oreille, Charles.
— C'est pas mon oreille; la mienne portait un crayon!

• • •

— Je voudrais des pilules anticonceptionnelles.
— Certainement, madame.
— À propos, vous n'en auriez pas avec effet rétroactif?

• • •

— Mademoiselle, je lis sur l'étiquette de ce chandail: 40% laine; 55% coton. Qu'est-ce que c'est les 5% qui restent?
— Ce doit être ce qui rétrécit au premier lavage...

• • •

Un opticien qui a le sens de l'humour affiche à la porte de son bureau:
«Ici vos yeux sont examinés pendant que vous attendez».

— Depuis la mise en marché de la photocopie, le papier carbone est de moins en moins en demande. Malgré cela, je connais un fabricant qui a réussi à écouler tout son stock.
— Comment il a fait?
— En les vendant comme «kleenex« aux ouvriers d'une mine de charbon.

• • •

Vu dans la vitrine d'un nettoyeur cette alléchante pancarte:
«Madame, laissez-nous tous vos vêtements et passez un agréable après-midi!«

• • •

— Allô, M. Pommerleau, c'est le garage Lépine. Votre femme vient d'arriver au volant de sa voiture pour une réparation, et je voudrais bien savoir qui...
— Ça va, je vais payer la réparation de la voiture.
— Qui vous parle de la voiture? Je vous demande qui va payer pour la réparation de mon garage?...

• • •

Chapitre V
L'HUMOUR QUI SE BOUFFE:
(Au restaurant)
L'HUMOUR QUI SE DÉPOUILLE
(À l'hôtel)

— Est-ce que monsieur est satisfait de son séjour à notre hôtel?
— Pas si mal et le temps a été plutôt beau. Puis-je avoir ma note, s'il-vous-plaît?
— La voilà, monsieur.
— Hein, c'est marqué 75$ par jour, plus 10$ pour la salle de bains.
— En plein cela, monsieur.
— Mais, il n'y en avait pas de salle de bains.
— C'est pour la faire installer, monsieur.

• • •

— Garçon, je vais prendre une salade César, un boeuf bourguignon et une mousse au chololat avec crème chantilly.
— Monsieur, je dois vous féliciter. Vous avez commandé toutes les spécialités de la maison sans même avoir consulté le menu.
— Ce n'était pas nécessaire. Je n'ai eu qu'à regarder la nappe.

• • •

— Bonjour, monsieur. J'aimerais avoir une pizza toute garnie.
— Coupée en quatre ou en huit morceaux?
— Coupez-la donc en quatre; j'ai pas assez faim pour huit morceaux.

• • •

— Patron, votre hôtel n'est pas ce qu'il y a de plus recommandable.
— Monsieur voudrait-il s'expliquer?
— Tout à l'heure, j'ai aperçu un homme tout nu qui courait après une femme toute nue.
— Est-ce que le monsieur tout nu a attrapé la madame toute nue?
— Non.
— Monsieur voit bien que notre hôtel est bien tout nu, pardon... tenu!

• • •

— Garçon, ce steak-là n'est pas mangeable. Allez me chercher le gérant.
— Pas question. Si votre steak n'est pas mangeable, le gérant n'en voudra pas non plus.

• • •

— Garçon, je trouve que votre restaurant manque de classe.
— Est-ce que monsieur a à se plaindre du service?
— Le service est correct et la nourriture est satisfaisante. C'est plutôt le vin.
— Qu'est-ce qu'il a le vin, monsieur?
— Au prix que vous chargez, vous pourriez au moins servir du vin de l'année.

• • •

— Garçon, avez-vous de la soupe aujourd'hui?
— Il y en avait mais je l'ai essuyée.

• • •

— Si monsieur le voyageur veut bien s'enregistrer, attendu qu'il accepte de s'installer à notre hôtel.
— Bien sûr. Ah! ça c'est le comble!
— Que se passe-t-il, monsieur?
— J'ai connu les puces d'Oklahoma, les punaises de Chicago, la vermine du Caire, les araignées de Mexico, mais c'est bien la première fois que je vois une punaise assez effrontée pour venir voir sur le registre de l'hôtel le numéro de la chambre d'un client qui arrive.

• • •

— C'est quoi votre choix de légumes, mademoiselle?
— Ce sont des épinards, monsieur.
— Où est le choix là-dedans?
— Vous avez le choix d'en prendre ou de ne pas en prendre, monsieur.

• • •

Dans un restaurant, le cuisinier dit au maître d'hôtel:
— Tâchez de recommander plus spécialement le plat du jour. Il est d'hier.

• • •

Dans un restaurant super chic, le patron remarque un client avec sa serviette autour du cou, et s'en trouve scandalisé. S'adressant à son maître d'hôtel:
— Allez lui dire que cela ne se fait pas ici; mais sans le froisser.
— Pardon, monsieur. Est-ce pour la barbe ou les cheveux?...

• • •

Par les temps qui courent, tout le monde essaie de réduire ses dépenses au maximum. Ainsi, lorsque Elzéar va au restaurant avec sa tendre moitié, il a cette fâcheuse habitude de dire au garçon:
— En guise de pourboire, ma femme va vous aider à desservir.

• • •

Un couple marié se présente à une heure très tardive dans un restaurant:
— Deux choux à la crème, mademoiselle.
— Je regrette madame, il n'en reste plus qu'un seul.
— Apportez-le moi.
Se tournant vers son mari:
— Pauvre chéri, avec tout ça, te voilà encore privé de dessert!

• • •

Dans un tout petit hôtel situé dans un coin on ne peut plus reculé, un monsieur s'installe et insiste pour ne pas être réveillé. Le lendemain matin, à 10h30, on frappe à sa porte:
— Je voulais dormir jusqu'à midi.
— Impossible monsieur. On a besoin de votre drap pour mettre la table!

• • •

— Garçon, veuillez m'apporter un verre d'eau, s'il vous plaît.
— C'est pour boire?
— C'est sûrement pas pour apprendre à nager!

• • •

— Bonjour, monsieur. Quel est le prix de vos chambres?
— 50$ au premier étage; 40$ au deuxième étage; 30$ au troisième étage et 25$ au quatrième étage.
— Excusez-moi de vous avoir dérangé, mais votre hôtel n'est pas assez haut pour moi.

• • •

Au restaurant, un client reçoit une addition qui lui semble tout à fait exagérée, hors de prix. Il exige de parler au patron.
— Le repas était bon, mais vraiment, cher confrère...
— Ah! parce que vous êtes également restaurateur?
— Non. Je suis voleur... comme vous!

• • •

— Puis-je avoir une chambre avec salle de bains?
— Je regrette, madame, nous n'avons pas de chambres équipées de salle de bains.
— Dans ce cas, puis-je avoir une chambre sur un étage où il y a une salle de bains?
— Nous n'avons pas de salle de bains, madame. Les clients qui viennent ici ne restent jamais plus de 15 jours.

• • •

— Monsieur, voici la clé de votre chambre. À quelle heure voulez-vous être réveillé?
— Inutile. Moi, chaque matin, je suis debout à six heures.
— En ce cas, monsieur, puis-je vous demander de réveiller la femme de chambre?

• • •

Au restaurant, le maître d'hôtel s'enquiert:
— Comment avez-vous trouvé votre steak?
— Tout à fait par hasard, sous un petit pois!

• • •

— Garçon, je suis tellement pressé que je n'aurai même pas le temps de manger. Vite, vite apportez-moi l'addition.

• • •

Hier, je suis allé au restaurant et j'ai donné 10$ au maître d'hôtel:
— Quelle table voulez-vous réserver, monsieur?
— Je ne veux pas retenir de table, mais quand vous me verrez arriver avec ma femme demain soir, dites que toutes les tables sont prises.

• • •

Deux amis dînent au restaurant.
Le garçon apporte l'addition et l'un deux l'examine longuement. Il dit à l'autre:
— Tu peux payer. J'ai vérifié. Y a pas d'erreur.

• • •

— Monsieur, je m'excuse de vous aborder ainsi. C'est parce que je suis touriste et je cherche un restaurant. Est-ce qu'il y en a un dans le coin?
— Il y en a deux un peu plus loin; ils sont juste l'un en face de l'autre.
— Lequel est le meilleur?
— N'importe lequel des deux. De toute façon, après, vous regretterez de ne pas être allé dans l'autre.

• • •

Au restaurant, dans un tout petit patelin:
— Monsieur, ici il est défendu de parler de politique ou de religion. On se contente de manger.
— Écoutez, patron, si un homme doit se contenter de boire et de manger, qu'est-ce qui le différencie d'un animal?
— L'homme paye, monsieur. Il paye.

• • •

Chapitre VI
L'HUMOUR QUI EST MALADE:
(Chez le médecin)
L'HUMOUR QUI S'ÉTEND:
(Chez le psychiatre)

— C'est combien, docteur, pour m'avoir guéri de ma surdité?
— C'est 50$.
— Seulement 150$?
— Non, 250$.
— C'est pas cher 350$.
— Vous avez juste à faire un chèque de 450$ au nom du docteur Latouche. Puis, revenez me voir souvent!

• • •

— Bonjour, docteur.
— Qu'est-ce qui vous amène, monsieur?
— J'ai des douleurs dans le ventre.
— Est-ce que ça dure longtemps?
— Environ de 20 à 25 minutes, chaque fois.
— Souvent?
— À toutes les 10 minutes, docteur.

• • •

— Mon docteur m'a mis à la diète.
— Quelle sorte de diète que tu suis?
— La même que suit Gérard Vermette. Je dois compter chaque calorie que j'prends.
— Puis, ça marche?
— Non, mais j'fais des maudits progrès en calcul.

• • •

— Imagine-toi que j'avais un problème de poids et que mon psychologue a tout réglé.
— J'voudrais pas te faire de peine, mais y a rien qui paraît.
— J'ai peut-être pas maigri, mais grâce à mon psychologue, ça m'dérange plus une sacrée miette!

• • •

— Docteur, ma femme et moi, c'est tous les jours à 6h00 le matin.
— Vous trouvez ça trop tôt?
— Le problème, c'est qu'elle ne se réveille qu'à 9h00...

• • •

— Et puis, docteur?
— On va vous garder une semaine sous observation.
— Pourtant, vous m'aviez dit que je n'avais que des égratignures et que j'aurais mon congé aujourd'hui.
— Oui mais votre état me semble plus sérieux depuis que j'en ai lu le rapport dans le journal.

• • •

— Docteur, mon garçon s'est construit une cabane dans un arbre.
— C'est bien.
— Il traverse la rue avec son tricycle sans regarder. Il suce même son pouce.
— C'est normal tout cela. Avec un peu d'attention de votre part, tout va rentrer dans l'ordre.
— Je le sais, mais si je suis venue vous voir, c'est à la demande de sa femme.

• • •

— Docteur, je me sens très dépressif.
— Étendez-vous, mon ami. Quel est votre problème?
— J'ai trop de soucis d'argent, docteur. C'est épouvantable.
— Détendez-vous et cessez de vous en faire comme cela. Il y a quinze jours, j'ai soigné un monsieur qui avait des problèmes d'argent comme vous. Je lui ai dit de se relaxer. Il s'en faisait parce qu'il ne pouvait pas payer son loyer. Je lui ai conseillé de ne plus y penser, et maintenant il va très bien.
— Je sais, docteur. C'est mon locataire.

• • •

— Docteur, j'éprouve toutes sortes de malaises: un pincement au coeur, des étourdissements, des nausées; j'ai parfois l'impression que je vais mourir.
— Ça vous arrive quand?
— Tous les matins en me réveillant. Le plus drôle, c'est que quinze minutes plus tard, tout est disparu.
— J'ai la solution à votre problème: levez-vous quinze minutes plus tard.

• • •

— C'est pour mes rhumatismes que je suis venu vous voir, docteur.
— Est-ce qu'il y a un moment où vous ressentez davantage de douleurs?
— Ah oui, quand je me penche en avant, j'étends un bras, puis l'autre, en faisant le moulinet en avant et en arrière...
— Pourquoi vous imposez-vous toute cette gymnastique?
— Connaissez-vous une autre manière de mettre une chemise, vous?

• • •

— Puis, docteur, est-ce que c'est bien une maladie vénérienne?
— Hélas, mon ami, c'est bien ça.
— Je le savais bien. Ma femme pensait que c'était une grippe.
— Qu'est-ce qui vous a fait croire que c'était une maladie vénérienne plutôt qu'une grippe?
— Ça toussait pas, docteur. Ça toussait pas!

• • •

— Docteur, je voudrais vivre jusqu'à 100 ans, comme mon père.
— Voilà un souhait bien légitime. Est-ce que vous fumez?
— Non, docteur.
— Est-ce que vous buvez?
— Non, docteur.
— Est-ce que vous sortez avec les femmes?
— Non, docteur.
— Est-ce que vous faites du sport?
— Non, docteur.
— Est-ce que vous faites des abus de table?
— Non, docteur.
— Alors, pourquoi voulez-vous vivre jusqu'à 100 ans?

• • •

— Mon ami, il m'est difficile de diagnostiquer avec précision votre mal, c'est sans doute à cause de la boisson.

• • •

Un faible d'esprit est dans une institution depuis de nombreuses années. Voulant savoir si son état mental s'est quelque peu amélioré, sa femme qui le visite, lui demande:
— Mon Éphrem, supposons qu'un dimanche après-midi un p'tit gars à bicyclette glisse sur la voie ferrée. Le train arrive et lui coupe les deux jambes. Le train déraille et perd une roue. Le p'tit gars saute sur sa bicyclette et s'en va acheter une nouvelle roue qu'il installe à la place de celle qui est perdue.
—Y a quelque chose de pas correct dans cette histoire-là. Voyons donc, tu sais bien que le dimanche les magasins sont fermés.

• • •

— J'ai été obligé d'appeler le docteur, hier, parce que mon p'tit dernier avait avalé un rouleau de film.
— Puis, qu'est-ce qu'il t'a dit?
— D'attendre le développement.

• • •

— Je suis allé voir un spécialiste pour mes insomnies. C'est terrible, je n'arrive jamais à m'endormir avant trois ou quatre heures du matin.
— En effet. ce n'est pas drôle. Que t'a-t-il conseillé?
— Il m'a dit de m'allonger dans mon lit, d'imaginer une feuille blanche sur laquelle j'écris tous mes tracas, de la chiffonner et de la jeter dans un panier imaginaire.
— Puis, j'espère que cela a marché?
— Oui et non. Je m'endors en très peu de temps, mais au bout de cinq minutes, je me réveille en sursaut pour aller vider le fameux panier qui est toujours plein.

• • •

— C'est urgent, docteur, Églantine a avalé une bouteille d'eau de Javel.
— Oui, allô. Laissez faire, docteur. On vient de trouver une autre bouteille d'eau de Javel.

• • •

Mon beau-père est allé chez le docteur la semaine dernière. Le docteur a dit à ma belle-mère:
—Madame, votre mari a besoin de beaucoup de repos. Je vais vous prescrire des tranquillisants. À prendre à toutes les deux heures.

• • •

— Puis-je vous demander combien de fois par semaine vous faites l'amour, monsieur?
— Trois fois, docteur: les lundis, mercredis et vendredis.
— Vous devriez laisser tomber le mercredi.
— Vous n'êtes pas sérieux? C'est le seul soir de la semaine où je suis à la maison.

• • •

— Ma femme est tellement myope, docteur.
— Est-ce qu'elle porte des lunettes?
— Oui, mais comme elle doit les enlever pour dormir, elle est à ce point myope que, pour pouvoir s'endormir, elle est obligée de compter des éléphants au lieu des moutons.

• • •

— Mon cher ami, vous venez me voir pourquoi?
— (Fort) C'est pour un problème de gorge.
— Quelle sorte de problème?
— (Fort) J'ai toute une laryngite, docteur.
— Pour quelqu'un qui souffre de laryngite, je trouve que vous parlez pas mal fort.
— Après tout, ce n'est pas une maladie honteuse.

• • •

— Docteur, je viens vous consulter à propos de mes insomnies. C'est terrible comme cela m'épuise.
— Ne vous en faites pas, madame, après une bonne nuit de repos, vous vous sentirez beaucoup mieux.

• • •

— Docteur, j'ai un problème de sexe par rapport à ma femme.
— Comme quoi, par exemple?
— C'est pu «pantoute» comme durant not'lune de miel.
— Quel âge a-t-elle?
— 88 ans, docteur.
— Puis vous?
— 94 ans, docteur.
— Et depuis quand ce ralentissement sexuel de votre femme?
— Depuis hier, docteur.

• • •

— Salut, vieux camarade. Je t'offre ces deux billets de théâtre pour ce soir.
— Je ne peux pas, ma femme a invité je ne sais trop quel imbécile à souper...
— Je te remercie. C'est moi qu'elle a invité...

• • •

— Je traîne un peu de la jambe gauche depuis quelques jours.
— C'est l'âge, mon vieux, c'est l'âge!
— Comment c'est l'âge? Ma jambe droite a le même âge que ma jambe gauche et elle ne me fait pas souffrir...

• • •

— Bonjour, docteur. Je suis venue vous voir il n'y a pas si longtemps à cause de mes cauchemars. Je rêvais constamment qu'un homme avec une grosse barbe et fortement poilu m'attaquait, me découpait et me mangeait toute crue.
— Oui, oui je m'en souviens. Je vous avais prescrit des comprimés mauves. Comment ça va maintenant?
— Maintenant, dans mes cauchemars, l'homme s'est rasé, s'est épilé le corps et me fait cuire avant de me découper...

• • •

— Docteur, c'est épouvantable, chaque fois que je prononce A-BRA-CA-DA-BRA, les gens disparaissent autour de moi. Hé! docteur, où êtes-vous? Revenez... j'ai besoin de vous!

• • •

— Docteur, j'ai des brûlements d'estomac.
— Avez-vous essayé certains médicaments?
— J'ai essayé toutes les sortes, docteur, et mes brûlements persistent toujours.
— Quelle sorte de nourriture prenez-vous?
— Je dois vous dire que je suis cannibale.
— Dans ce cas-là, mangez donc un pompier de temps à autre.

• • •

— Je lisais hier que des savants avaient injecté de la nicotine et du goudron à mille souris et que les mille souris sont mortes du cancer du poumon.
— Ouais, ça fait réfléchir...
— As-tu l'intention d'arrêter de fumer?
— Non, mais je vais entreposer mes cigarettes sur la tablette du haut pour ne pas que les souris y touchent.

• • •

— Je ne me sens pas en forme, ma femme. Je crois que je vais aller consulter un médecin.
— Voyons, mon mari, tu es pourtant un excellent spécialiste?
— Oui, mais je trouve que je charge trop cher.

• • •

— Mon ami, j'ai une bonne et une mauvaise nouvelle pour vous.
— Commencez par la mauvaise, docteur.
— Vous allez devenir homosexuel.
— Et la bonne nouvelle?
— Je vous aime.

• • •

— Vous n'êtes pas sérieux, monsieur. Je vous ai dit que votre pire ennemi, c'était la boisson et vous buvez encore.
— Il n'y a pas quelqu'un qui a dit d'aimer même ses ennemis, docteur?
— De les aimer, oui, mais pas de les boire.

• • •

— Allô, Docteur Lagacé, avez-vous reçu mon test d'urine?
— J'allais justement vous téléphoner. Le petit pot que j'ai reçu contient du jus de pomme.
— Ah mon Dieu, mon mari!
— Qu'est-ce qu'il a votre mari?
— Il est parti avec sa boîte à lunch.

• • •

— Ah! docteur, quand je prends de l'alcool, je deviens terriblement affectueuse.
— Approchez-vous, on va en discuter. Prendriez-vous un p'tit apéro?

• • •

— Docteur, je viens vous voir au sujet de ma femme.
— Qu'est-ce qu'elle a votre femme?
— Je suppose qu'elle a un complexe. Chaque matin, avant que je la quitte pour le travail, elle me demande 50$ pour la nuit. Trouvez-vous cela normal?
— Vous avez raison de vous plaindre, c'est tout à fait anormal. Mais ce qui m'intrigue le plus...
— C'est quoi qui vous intrigue tant, docteur?
— C'est pourquoi elle vous demande le double de ce qu'elle me demande!

• • •

— Je n'arrive vraiment pas à voir ce que vous pouvez avoir comme maladie.
— Ça fait pourtant la deuxième fois que je l'ai, docteur.
— Alors je l'ai trouvée; vous faites une rechute.

• • •

— Docteur, vous qui êtes psychiatre, je viens vous voir concernant ma femme qui a un complexe d'infériorité.
— Vous aimeriez que je l'en débarrasse?
— Surtout pas, docteur. Faites tout pour qu'elle le garde.

• • •

— Cher monsieur, j'ai une bonne nouvelle à vous annoncer: Depuis deux ans que je vous traite en psychiatrie, vous êtes complètement guéri; vous ne vous prendrez plus pour Napoléon.
— Docteur, puis-je me servir de votre téléphone pour annoncer la bonne nouvelle à Joséphine?

• • •

— Alors comment ça va votre insomnie?
— Pire que jamais, docteur. À tel point que j'ai même plus envie de dormir quand c'est l'heure d'aller travailler.

• • •

— Docteur, vous qui êtes psychiatre, comment expliquez-vous le nombre si élevé de divorces?
— C'est bien simple, madame. C'est parce qu'il y a encore trop de mariages.

• • •

Dans le bureau d'un psychiatre arrive une splendide jeune femme qui s'allonge sur le divan en prenant soin de bien arranger les plis de sa robe.
— Comment vos ennuis ont-ils commencé, madame?
— Exactement comme ça, docteur.

• • •

— Comment me trouvez-vous docteur?
— Votre jambe est un peu enflée, mais ça ne m'inquiète pas du tout.
— Vous savez, docteur, si votre jambe à vous était enflée, je ne m'inquiéterais pas du tout, moi non plus...

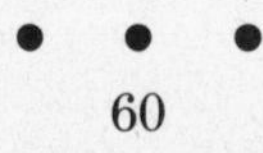

— Allô, docteur, mon fiston a avalé du sable et je lui ai fait boire beaucoup d'eau. Que puis-je faire d'autre?
— Chère madame, tâchez d'éviter de lui faire avaler du ciment!

• • •

— Docteur, je ne comprends plus rien. Mon mari a changé complètement depuis sa dernière visite à votre cabinet. Lui qui était si tendre avant, il ne me regarde même plus. Qu'est-ce que vous lui avez donc prescrit, docteur?
— Rien de spécial, madame. Je lui ai tout bonnement conseillé de porter des verres de contact!

• • •

Un docteur dit à un patient:
— Vous n'avez pas à vous en faire, monsieur, j'ai déjà souffert des mêmes troubles que vous.
— Sauf que vous, vous n'aviez pas le même docteur!

• • •

— Docteur, chaque fois que je bois une tasse de café, j'ai une douleur à l'oeil droit.
— La prochaine fois, essayez donc de penser d'enlever la cuillère.

• • •

Deux jeunes médecins reçoivent leur affectation: le premier doit exercer dans un hôpital très éloigné. Le deuxième reste à Montréal pour s'occuper d'un hospice de vieillards. Avant de se séparer, le second dit à son confrère:
— Va t'enterrer dans ton bled pendant que je vais m'occuper de mes groupes sans gains...

• • •

— Vous mangez épicé, madame?
— Mais, docteur, je mange et pisse comme tout le monde!

• • •

Une gamine de cinq ans réussit à se faire admettre dans le cabinet d'un médecin:
— Je voudrais prendre la pilule.
— Mais qui t'a mis une chose pareille dans la tête?
— Moi toute seule. J'en ai assez d'avoir une poupée à tous les ans...

• • •

— Docteur, si vous m'amputez les deux jambes, je vous jure que je ne remettrai jamais plus les pieds chez vous!

• • •

— Je vais vous vacciner, madame. Où préférez-vous: sur le bras ou sur la fesse?
— Sur le bras, docteur. Ça se verra moins.

• • •

— Docteur, j'ai une double personnalité.
— C'est que j'ai un rendez-vous important. J'aurai seulement le temps d'examiner l'une des deux.

• • •

Un médecin dit à son patient:
— Déshabillez-vous.
Il revient au bout de cinq minutes:
— Je vous ai demandé de vous déshabiller, monsieur.
— Excusez-moi, docteur. J'ai cru que vous vous adressiez à votre assistante.

• • •

Un médecin, qui n'est pas diplomate pour deux sous, dit à sa cliente, sur le point de le quitter:
— Au fait, chère madame, ne manquez pas de dire à votre mari que sa secrétaire est venue me consulter et qu'elle a paru rassurée quand je lui ai dit qu'elle n'était pas enceinte...

• • •

Un psychiatre dit à une patiente retardataire:
— Il est temps que vous arriviez. J'allais commencer sans vous.

• • •

— Mon chirurgien ne peut écrire qu'avec un stylo.
— Pourquoi ça?
— Par déformation professionnelle. Il est incapable de se servir d'un crayon sans l'ouvrir, parce qu'il veut savoir s'il a bonne mine...

• • •

Chapitre VII
L'HUMOUR QUI SE DÉFEND:
(Devant le juge. Chez l'avocat)

— Vous êtes devant cette Cour pour une raison grave. On vous accuse de bigamie. Aucun homme ne peut être marié à deux femmes.
— C'est pas de ma faute, Votre Honneur. J'ai tout simplement suivi le conseil de mon oculiste.
— J'aimerais pouvoir comprendre.
— C'est que mon oculiste m'a fortement suggéré le double foyer.

• • •

— Accusé, vous avez avoué avoir tué votre femme qui était avec un homme dans le lit conjugal. Plaidez-vous coupable ou non coupable?
— Coupable, Votre Honneur.
— La Cour a besoin de plus d'explications. Habituellement, un homme qui découvre sa femme dans les bras d'un autre a plutôt tendance à tuer l'homme que sa propre femme. Comment expliquer votre geste?
— J'aimais mieux tuer ma femme un soir, qu'un homme à tous les soirs!

• • •

— Mon cher client, j'espère que vous m'avez dit toute la vérité concernant ce hold-up auquel vous jurez de ne pas avoir participé.
— Oui, maître, ou presque...
— Ce qui veut dire...?
— Que je vous ai tout dit, sauf l'endroit où j'ai caché l'argent.

• • •

— La Cour n'a pas réuni suffisamment de preuves pour que vous soyez accusé de bigamie. Permettez-moi cependant de vous faire une sage recommandation.
— Laquelle, Votre Honneur?
— Retournez chez votre femme et restez-y.
— Laquelle, Votre Honneur?

• • •

— As-tu lu ça dans le journal? Y a un gars qui a été condamné à 20 ans pour avoir jeté deux fleurs en bas du huitième étage.
— T'es pas sérieux: 20 ans pour avoir jeté deux fleurs?
— Eh oui, sa femme, Rose et sa belle-mère, Marguerite.

• • •

— Accusé, après avoir presque complètement détruit le mobilier du bar, vous avez assommé le patron, les deux serveuses et cassé les bras de trois clients. Qu'avez-vous à dire pour votre défense?
— Votre Honneur, je pense que je me trouvais dans un moment de grande faiblesse.

• • •

Deux voleurs font du lèche-vitrine devant une bijouterie.
— Je me demande combien ça peut valoir un diamant comme celui-là?
— Ah! ça va chercher dans les cinq ans, au moins.

• • •

— Accusé, vous êtes allé jusqu'à découper votre femme en morceaux que vous avez déposés dans une grosse valise, laquelle vous avez expédiée à son amant. Vous vous êtes même donné la peine d'écrire sur le dessus de cette fameuse valise: «fragile et cassant». Pourquoi?
— Votre Honneur, c'est parce que je lui avais laissé ses lunettes.

• • •

— Accusé, pourquoi avez-vous tué votre modèle?
— J'avais envie de faire une nature morte, Votre Honneur.

• • •

— Pourquoi avoir donné la mort à votre femme?
— Elle ne savait pas vivre.

• • •

— Vous êtes accusé d'avoir tué votre femme de deux coups de bâton de golf.
— Oui, Votre Honneur.
— Pourquoi, deux coups?
— La première fois, j'avais relevé la tête.

• • •

— Monsieur, les charges qui pèsent contre vous sont très lourdes. On vous accuse d'avoir renversé deux piétons qui traversaient la rue; d'avoir brûlé un feu rouge et omis l'arrêt obligatoire à l'intersection suivante et, en plus, d'avoir doublé un autobus scolaire qui était arrêté pour laisser descendre des jeunes enfants. Qu'avez-vous à dire pour votre défense?
— Votre Honneur, ça arrive à n'importe quel être humain d'avoir une petite distraction.

• • •

— Si j'en crois votre déposition, en plus de l'argent, vous auriez pris trois bagues, cinq bracelets et quantité d'autres objets. Est-ce exact?
— Oui, monsieur le juge, on m'a toujours dit que l'argent seul ne faisait pas le bonheur.

• • •

— Votre dossier m'indique que vous avez commis un hold-up à la banque Royale, à la banque de Nouvelle-Écosse, à la banque Laurentienne, à la banque Toronto-Dominion, à la banque Impériale, à la banque de Montréal. Vous avez pratiquement fait toutes les banques? Ça m'étonne que vous n'ayiez pas songé à la banque Nationale?
— Jamais, Votre Honneur. C'est là que je dépose l'argent.

• • •

— Monsieur, votre femme fait preuve d'un sincère repentir; elle est prête pour la réconciliation.
— Votre Honneur, j'accepte la condamnation.

• • •

— Pour avoir commis un crime aussi crapuleux, vous ne deviez pas avoir toute votre tête à vous?
— C'est vrai, Votre Honneur. On m'a toujours dit que j'avais les yeux de ma mère, les cheveux frisés comme mon père, puis la bouche de mon oncle Arthur.

• • •

— Vous êtes accusé de frapper votre épouse. Qu'avez-vous à dire pour votre défense?
— C'est parce que ma femme, Votre Honneur, m'insulte impitoyablement. Elle me traite de triste individu, de saleté, de mari pas correct. Elle va même jusqu'à insinuer que je suis aussi menteur qu'un juge. Moi, j'peux pas endurer qu'on dise du mal d'un juge.
— Vous avez bien raison. Acquitté!

• • •

— Mon cher client, j'ai beau examiner votre dossier, je ne vois vraiment pas comment on pourrait s'en tirer. Vous avez déjà tué quatre personnes, comment voulez-vous que je trouve des circonstances atténuantes?
— Hé! maître, j'aurais pu en tuer cinq!

• • •

Le condamné s'apprête à prendre place sur l'échafaud pour être guillotiné. Soudain, il murmure quelque chose à l'oreille du bourreau. Celui-ci se fâche:
—Ah non... Vous n'aviez qu'à prendre vos précautions avant...

• • •

— M. l'agent, j'ai perdu mon portefeuille.
— Donnez-moi des détails, on va essayer de le retrouver.
— C'est pas la peine, mon associé l'a retrouvé.
— Alors qu'est-ce que vous voulez?
— Qu'on retrouve mon associé!

• • •

Devant le juge incrédule, un cambrioleur explique:
— Votre Honneur, j'ai brisé la devanture de ce restaurant sans faire exprès. Alors je suis entré pour laisser mon nom et mon adresse. Si on m'a surpris la main dans le tiroir-caisse, c'est tout simplement parce que je cherchais un crayon et du papier pour écrire...

• • •

En Cour d'assises:
— Pourquoi, demande le juge, avez-vous étranglé votre femme en lui serrant le cou avec son foulard?
— Dans une bonne intention, Votre Honneur. Je voulais éviter que son rhume de cerveau lui tombe sur la poitrine...

• • •

Chapitre VIII
L'HUMOUR QUE L'ON FOUILLE:
(Au poste de police)

— Mademoiselle, les deux-pièces sont défendus sur cette plage.
— Laquelle des deux pièces voulez-vous que j'enlève, monsieur l'agent?

• • •

— Monsieur l'agent, je viens de me faire voler ma voiture.
— Avez-vous une description du voleur?
— Non, mais j'ai eu le temps de prendre le numéro de la plaque...

• • •

— Sergent Latrimouille, pourquoi êtes-vous revenu avec un camion rempli de chaises?
— C'est vous, chef, qui m'aviez dit de faire cela.
— En êtes-vous bien sûr?
— Bien oui, vous m'aviez dit: «La descente terminée, rapportez-moi tous les dossiers.»

• • •

— M. l'agent, je cherche une jeune femme blonde dans la vingtaine, environ 5'4", les yeux bleus, un beau grand sourire et qui conduit une décapotable de l'année.
— Ah bon! Une parente à vous, sans doute?
— Pas du tout. Je l'ai même pas vue. Mais je vais vous laisser mon numéro de téléphone au cas où vous en trouveriez une.

• • •

— Mademoiselle, je dois faire mon rapport de police; j'espère que vous allez me faciliter la tâche.
— Je vais faire mon possible, monsieur l'agent.
— Alors que s'est-il passé?
— L'individu est entré dans mon appartement. Il m'a poussée sur le lit. Il a déchiré ma blouse, il a enlevé ma jupe puis il s'est sauvé avec l'argent qui était sur ma table de nuit.
— Mais au moment où il s'est approché de vous, vous n'avez pas pensé de crier?
— Non, j'pensais pas qu'il était venu pour me voler!

• • •

— Voudriez-vous m'expliquer comment les choses se sont passées?
— L'individu était au bord du lac. Puis tout à coup, il se jette à l'eau. Alors, je n'ai pas perdu de temps, j'ai plongé et je l'ai sauvé. Dix minutes plus tard, il se jette encore à l'eau. Je fais ni un ni deux, je replonge et je le sors de l'eau. Et voilà que quelque temps après, il se pend à un arbre.
— Puis, vous l'avez encore sauvé?
— Non. Après s'être jeté à l'eau deux fois, je pensais qu'il voulait se faire sécher...

• • •

— Il y a un espion de la GRC qui a été congédié.
— Pourquoi?
— Parce qu'il prenait un coup pas mal fort. Il voyait des agents doubles, partout.

• • •

Se trouvant devant une toile complètement blanche, un curieux demande au peintre:
— C'est quoi, votre sujet?
— Une vaste plaine avec des vaches.
— Mais il n'y a pas un pouce d'herbe?
— Les vaches l'ont toute mangée.
— Je ne vois pas de vaches non plus?
— Vous comprendrez qu'il n'y a pas une sacrée vache qui veut rester là s'il n'y a pas d'herbe.

• • •

Un agent de police est chargé d'avertir, avec ménagement, la femme d'un ouvrier de la construction que son mari a été victime d'un grave accident de travail:
— J'ai le plaisir de vous informer madame que l'habit de travail que portait votre mari n'aura pas besoin d'un nettoyage avant longtemps.
— Pourquoi cela?
— L'habit a passé deux heures sous une grue de cinq tonnes. Malheureusement, votre mari était dedans.

• • •

Chapitre IX
L'HUMOUR QUI SE MOUILLE:
(D'un bar à l'autre)

— Ici, au Canada, il faut avoir 18 ans pour pouvoir entrer dans un bar.
— Au Biafra, c'est pas la même chose.
— La loi est sans doute différente?
— En plein ça. Ici, il faut avoir 18 ans; au Biafra, il faut peser 18 livres.

• • •

— Clara, c'est extraordinaire comme l'alcool peut te changer. Tu es comme embellie.
— Voyons donc, j'ai même pas pris un verre.
— Peut-être, mais moi, j'en ai pris.

• • •

Hector sort d'un bar dans un état d'ébriété assez avancé et se tient après un poteau. La police l'interpelle:
— Qu'est-ce que vous faites là, mon ami?
— J'arrive d'un bingo, M. l'agent. Regardez-moi donc cette belle grosse lampe que je viens de gagner!

• • •

L'autre jour, un gars entre dans une brasserie, commande une bière avec deux oeufs, met les oeufs dans la bière et boit.
— Pourquoi tu fais ça? lui demande le garçon de table.
— Premièrement, parce que j'aime ça; deuxièmement, c'est pas de tes affaires; troisièmement, parce que ça met de la mine dans le crayon.
Voyant cela, un autre client commande exactement la même chose, puis jette le tout par terre.
— Pourquoi tu fais ça? s'inquiète le garçon de table.
— Premièrement, parce que j'aime ça; deuxièmement, c'est pas de tes affaires; troisièmement, parce que j'sais pas écrire.

• • •

Après avoir fait face à une pluie diluvienne, un Noir, trempé jusqu'aux os, s'arrête dans un bar et demande:
— Donnez-moi un blanc bien sec.

Un gars, qui sort d'un bar complètement éméché, rencontre un homme en uniforme et lui demande:
— Portier, envoyez-moi un taxi, s'il vous plaît.
— Vous apprendrez, mon ami, que je ne suis pas portier, je suis amiral dans la marine de Sa Majesté.
— O.K.! Envoyez-moi un bateau, d'abord.

• • •

— Quand je bois, tout le monde boit!
(Il vide d'un trait son verre de whisky.) Il hurle:
— Quand je prends un autre verre, tout le monde prend un autre verre!
(Tout le monde vide son verre.) Il hurle:
— Quand je paye, tout le monde paye!

• • •

Mon chum, Pierre, m'a demandé de le remplacer comme barman en fin de semaine dans un bar de sourds-muets. Il m'a dit:
— C'est facile: quand ils mettent leur pouce en bas, comme ça, tu leur sers une bière; quand ils claquent des doigts, ils veulent payer. Si t'as des problèmes, appelle-moi à la maison.
DEUX HEURES PLUS TARD.
— Allô, Pierre, c'est moi.
— Puis comment ça va au bar?
— Pas si mal, mais j'ai un problème: il y a deux gars qui ont la bouche grande ouverte et je ne sais pas quoi faire.
— Laisse-les faire; c'est deux gars qui ont trop bu et ils chantent.

• • •

Au bar, un type quelque peu éméché répète sans cesse:
— Vaux mieux donner que recevoir. Vaut mieux donner que recevoir.
— Mais qui est cet individu? Un banquier, un évangéliste ou quoi?
— C'est un ancien boxeur.

• • •

— Tiens, on se retrouve encore au même bar, Casimir. T'as donc bien une belle montre?
— Je comprends, c'est une montre de 900$.
— Tu ne l'as pas volée, j'espère?
— Non, m'sieur, je l'ai payée avec neuf beaux billets de cent dollars.
— Où les as-tu trouvés?
— Volés.

• • •

— Donnez-moi un gin, s'il-vous-plaît.
— Je ne comprends pas; vous avez l'habitude d'en prendre deux à la fois.
— Ça me rappelait que ma femme et moi, on prenait toujours l'apéro ensemble.
— Vous vous êtes disputés, c'est pour cela que vous n'en prenez qu'un?
— Non, c'est parce que j'ai arrêté de boire.

• • •

Dans un bar chic à Paris, une jeune fille croit rêver en apercevant Alain Delon et ne cesse de le fixer du regard. Voyant son manège, Alain Delon lui esquisse un tout petit sourire. La jeune fille se dit intérieurement:
— J'ai tellement vu de ses films que je pense qu'il me reconnaît...

• • •

Chapitre X
L'HUMOUR QUI SE PRÊCHE:
(Par le curé)

— Dis-donc, Casimir, es-tu fâché?
— Mais non, M. le curé, pourquoi?
— Ça fait trois fois que je te rencontre cette semaine et t'oublies de me saluer.
— C'est vous-même qui l'avez dit dans votre sermon de dimanche dernier.
— Moi, je vous aurais recommandé de ne pas saluer votre curé?
— Vous avez pourtant dit: «Hors de l'église, point de salut!»

• • •

— Voyons, mon p'tit Pierrot, tu reviens de la confesse, puis tu es tout bouleversé. Tu n'as que six ans. M. le curé ne peut pas t'avoir donné une si grosse pénitence.
— Trois «Je vous salue Marie».
— C'est rien ça, Pierrot.
— Oui, maman, mais c'est parce que... j'en sais juste un!

• • •

— Chers parents, je vous souhaite la bienvenue à cette cérémonie au cours de laquelle j'aurai l'honneur de baptiser votre poupon. Quel prénom désirez-vous lui donner?
— Georges Étienne Normand Joseph Patrick Roger Michel.
— Pas de problème. Qu'on aille me chercher encore un peu d'eau bénite.

• • •

— M. le curé, mon p'tit dernier a bien de la peine; vous lui avez refusé la permission de faire sa première communion.
— C'est parce qu'il a échoué aux examens de catéchisme. Il ne savait même pas pourquoi le Christ était mort.
— Vous savez, nous, on reste dans un tout petit village: pas de radio, pas de télévision, pas de journaux. On savait même pas que le Christ avait été malade.

• • •

— M. le curé, ça fait quatre mois que je suis marié avec Joséphine, puis elle a un bébé.
— Ça, c'est un mystère, Josaphat.
— Oui, mais ça fait juste six mois que je la connais, puis elle a un bébé...
— Ça, c'est vraiment un grand mystère.
— Je voudrais bien comprendre. Tiens, supposons M. le curé que je vais à la chasse; j'aperçois un chevreuil, je tire puis le chevreuil tombe avant que le coup de fusil soit parti...
— Là, mon Josaphat, cela veut dire que quelqu'un a tiré un coup avant toi!

• • •

— M. le curé, je suis doublement peiné. D'abord, je viens de perdre ma mère. Puis, je n'ai pas d'argent pour payer le service funèbre.
— Il n'y a personne dans la famille qui pourrait vous aider?
— J'ai seulement une soeur; elle est carmélite.
— Réjouissez-vous. Elle est mariée avec Jésus, notre Sauveur à tous.
— Dans ce cas-là, envoyez donc la facture à mon beau-frère...

• • •

— Alors, mon ami, vous êtes venu me parler de votre prochain mariage?
— Oui, M. le curé.
— Avez-vous suivi les cours de préparation au mariage comme je vous l'avais conseillé?
— Oui, M. le curé.
— Alors, voulez-vous un grand mariage ou un petit?
— Bien on va commencer par se marier. Pour ce qui est du petit, on verra ça plus tard...

• • •

— M. le curé, est-ce que c'est péché de dormir avec une fille de 17 ans?
— Non, mon fils, pour autant que tu dormes tranquille.

• • •

— Mon père, je m'accuse d'avoir trompé mon mari.
— Est-ce qu'il y a longtemps de cela?
— Trente ans.
— Ah! ça fait tellement longtemps que le Seigneur vous a pardonnée.
— Ça fait tout de même plaisir d'en parler de temps en temps, mon père.

• • •

— Josaphat, j'ai entendu dire que tu avais perdu ta bicyclette. As-tu prié pour la retrouver?
— J'ai pas eu besoin, M. le curé. Quand, dans votre sermon de dimanche dernier, vous avez dit: «Tu ne commettras pas l'adultère», je me suis rappelé où je l'avais laissée.

• • •

Dans son bulletin paroissial, un curé annonce ainsi sa grande vente de charité annuelle:
Je demande à tous les paroissiens d'apporter quelque chose dont ils ne se servent plus. Les dames sont invitées à venir avec leur mari.

• • •

L'évêque du diocèse rend visite à un de ses curés.
— Dites-moi, M. le curé, de méchantes langues prétendent que votre servante couche dans votre chambre?
— Monseigneur, on n'est pas riche ici. Il n'y a qu'une seule chambre à coucher.
— Je comprends, mais ce n'est pas tout à fait convenable.
— Oui, mais à chaque fois que ça se produit monseigneur, on met cinq dollars dans le tronc des bonnes oeuvres.
— Seulement cinq dollars, ce n'est pas énorme.
LA SERVANTE ENTRE AU MÊME MOMENT.
— Comment c'est pas énorme? On a mis cinq cents dollars le mois passé.

• • •

— Moi, je suis en faveur du mariage des prêtres.
— Pour quelle raison?
— Sinon, comment les curés feraient-ils pour avoir des enfants... de choeur?

• • •

Dans un bled, en plein soleil, le curé dit à ses paroissiens:
— Comment! Hommes de peu de foi, vous venez ici prier le Bon Dieu pour qu'il vous apporte de la pluie et pas un seul d'entre vous n'a pensé à se munir d'un parapluie...

• • •

Chapitre XI
L'HUMOUR QUI SE SCOLARISE:
(Allô éducation!)

— Bonjour, chère madame.
— Bonjour, monsieur le directeur.
— Je vous ai demandé de venir me voir parce que j'ai eu un problème avec votre p'tit Jean.
— Quel genre de problème?
— C'est parce qu'il s'est présenté en classe hier vêtu d'une robe bleue, de souliers blancs à talons hauts, avec du rouge à lèvres.
— Ah! le p'tit «vlimeux», y a encore fouillé dans les affaires de son père...

• • •

— Papa, c'est quoi ça?
— J'sais pas.
— Ça ici, c'est quoi?
— J'pourrais pas dire, mon garçon.
— Regarde donc ça, papa, qu'est-ce que ça peut être?
— Je l'sais malheureusement pas.
— Aimerais-tu mieux que j'te pose pas de questions?
— Au contraire, mon Pierrot, continue, il faut bien que ton père t'instruise.

• • •

— Bonjour, monsieur. Je m'appelle Télesphore Lagacé. Dans la publicité que vous faites concernant votre centre de conditionnement physique, vous prétendez offrir tous les cours susceptibles de rassurer les personnes qui ont peur de sortir le soir, tels que judo, karaté, boxe. Autant de moyens pour assurer leur défense.
— C'est en plein ça, monsieur.
— Donnez-vous aussi des leçons pour ceux qui ont peur de rentrer à la maison, à la fin de la soirée?

• • •

— Zozo, qu'est-ce qu'il y a de remarquable à La Havane?
— Les chemins de fer, monsieur le professeur.
— Comment ça, les chemins de fer?
— C'est qu'on parle toujours des six gares de La Havane.

• • •

— Mon p'tit Alain, il est drôlement espiègle pour son âge. Il passe son temps à écrire sur les murs.
— Défends-lui de le faire en lui disant que ça salit les murs.
— C'est bien ce que je lui ai dit hier soir. Et ce matin, il avait recommencé.
— Lui as-tu demandé pourquoi il t'avait désobéi?
— Oui, puis il m'a bien fait remarquer que, pour ne pas salir les murs, il n'avait écrit que des noms propres...

• • •

— Ça fait six ans que mon jeune gars suit des cours de violon.
— Il doit commencer à être bon?
— Tellement que ma femme et moi avons décidé de lui faire poser des cordes après son violon.

• • •

— Vous me rapportez déjà le livre que je vous ai prêté hier, monsieur?
— Ma femme m'a empêché de le lire.
— Le titre de ce livre, c'était quoi déjà?
— «Comment apprendre à porter les culottes dans un ménage?»

• • •

— Ça fait plaisir de revoir un vieux compagnon d'école.
— Tu te souviens que j'arrivais toujours premier en classe?
— C'est bizarre, je ne m'en souviens pas.
— À chaque jour j'étais en classe au plus tard à 7h00.

• • •

— Ma soeur a un p'tit bonhomme qui est bien brillant à l'école. Il a obtenu 100.
— T'es pas sérieux?
— Certainement: 25 en français; 25 en mathématiques; 25 en géographie et 25 en religion.

• • •

Je suis allé au musée avec mon jeune neveu, la semaine dernière. On s'est trouvé en présence d'une momie égyptienne au bas de laquelle on pouvait lire: 2040 AVJC. Je demande à mon neveu:
— Sais-tu ce que cela veut dire: 2040 AVJC?
— Mais mon oncle, ça doit être le numéro de la voiture qui l'a écrasée.

• • •

Dans un musée, un homme, accompagné de sa femme, reste un long moment devant un tableau intitulé: «Printemps».
La toile représente une très belle fille recouverte uniquement d'une feuille de vigne. Sa femme intervient:
— Qu'est-ce que tu attends?
— «L'Automne»!

• • •

Le jeune Stéphane demande à son instutitrice:
— Mademoiselle, pouvez-vous me dire ce que j'ai appris aujourd'hui à l'école? Mon père me le demande chaque soir au souper, pis j'sais jamais quoi répondre!

• • •

— M. le directeur, même si mon p'tit Firmin n'a pas encore atteint l'âge scolaire, vous devriez l'admettre parce qu'il est très intelligent.
Curieux, le directeur demande au bambin:
— Est-ce que tu connais pas mal de mots mon p'tit garçon?
— Rien que des mots cochons, m'sieur!

• • •

— Vous savez, M. l'instituteur, mon fils quand il rentre à la maison, il me dit tout ce qui se passe en classe. J'en entends des vertes pis des pas mûres.
— Écoutez, madame Tartampion, si vous me promettez de ne pas croire tout ce que votre enfant raconte sur ce qui se passe en classe, je vous promets de ne pas croire tout ce qu'il raconte sur ce qui se passe chez vous...

• • •

Un professeur exaspéré dit à son jeune élève:
— Dommage que je ne sois pas ton père!
— Ça peut toujours s'arranger, ma mère n'est pas mariée...

• • •

— Toto, quand tu reçois tes notes d'examens, t'as pas honte de te laisser toujours devancer par ta petite soeur?
— Moi, papa, je suis galant, les femmes d'abord...

• • •

Un philosophe fait remarquer à un pseudo-confrère:
— N'est-il pas paradoxal que l'intelligence n'intervienne pas dans les trois plus grands événements de la vie d'un homme: sa naissance et sa mort.
— Et le troisième?
— Son mariage, bien sûr.

• • •

Une dame qui visite le Louvre dit à sa petite fille, en voyant la Vénus de Milo:
— C'est ce que tu vas devenir si tu continues à te ronger les ongles!

• • •

— Mon p'tit Ernest, quelle est la différence entre un roi et un président de la république?
— Le roi est le fils de son père mais pas le président.

• • •

Dans une maternelle française, le professeur interroge:
— Pourquoi les Français ont-ils pris la Bastille?
— Pour fêter le 14 juillet.

• • •

— Pourquoi les rayons X portent-ils ce nom?
— C'est parce que leur inventeur a désiré conserver l'anonymat.

• • •

En entendant dire qu'en 1840 on avait ramené en France les cendres de Napoléon, un jeune Français ignare de conclure:
— Je savais pas qu'il était mort dans un incendie...

• • •

Un tout jeune homme s'est fait cruellement mordre à l'endroit le plus délicat de sa personne lors de sa première expérience amoureuse.
Il avait cru comprendre, en suivant ses cours d'éducation sexuelle, que pour avoir un enfant, un homme devait faire l'amour avec une cigogne.

Chapitre XII
L'HUMOUR QUI SE CONCUBINE:
(La vie de couple)

— Alphonse, dites-moi que mes yeux brillent...
— Ah oui!
— Alphonse, dites-moi que mes cheveux sont aussi beaux qu'un coucher de soleil...
— Ah oui!
— Alphonse, dites-moi que ma silhouette est aussi parfaite que celle des grandes déesses de l'Antiquité...
— Ah oui!
— Alphonse, dites-moi que mon sourire vous fait perdre la tête...
— Ah oui!
— Alphonse, vous êtes un amour; j'adore quand vous me dites de si belles choses!...

• • •

— Joséphine, sais-tu la différence entre faire l'amour et une salade César?
— J'avoue que non.
— Dans ce cas-là, viens donc dîner chez nous demain.

• • •

— Ah! ma chère Imelda, ce n'est pas facile de s'orienter dans la jungle.
— Ça fait trois bonnes heures qu'on marche.
— Sais-tu que je t'observe; ça fait bien quatre ou cinq fois que tu retouches ton maquillage. À quoi ça te servirait si tu rencontrais un lion?
— Imagine aussi si c'était Tarzan.

• • •

— Mon amour, la première fois que tu me trompes, je te tue!
— Et la deuxième fois?...

• • •

— Madeleine, jurez-moi qu'il n'y a jamais eu un autre homme avant moi dans votre vie?
— Je vous le jure sur la tête de ma petite fille!

• • •

— J'espère, Stéphanie, que lorsque nous serons mariés, tu conserveras tes bonnes habitudes de jeune fille, et surtout une en particulier?
— Mais dis-moi laquelle, mon amour?
— Je veux parler de cette bonne habitude que tu as de toujours demander de l'argent à ton père.

• • •

— Chérie, ce n'est pas possible de conduire aussi mal que le conducteur de la voiture d'en avant. Évidemment, c'est une femme.
— Détrompe-toi, mon amour, c'est un homme aux cheveux longs.
— Alors c'est sûrement sa mère qui lui a montré à conduire.

• • •

— Ma blonde, je te trouve pas mal dépensière. Tu m'arrives encore avec une nouvelle robe que t'as dû payer un prix fou.
— Je n'ai vraiment pas pu résister; ce doit être le diable qui m'a tentée.
— T'aurais dû lui crier: «Arrière, Satan!»
— C'est en plein ce que j'ai fait. Il est passé derrière moi et il m'a dit: «Cette robe te fait encore mieux de dos.»

• • •

— Ce qui me décourage, c'est que ma fiancée dépense pas loin de cinq cents dollars par mois chez sa couturière.
— Laisse-la tomber; épouse vite sa couturière.

• • •

— Eh! chérie, le p'tit est en train de se noyer!
— Mais sors-le du bain tout de suite.
— J'ai bien essayé, mais impossible d'y arriver.
— Comment ça?
— L'eau est beaucoup trop chaude.

• • •

Un pirate revient d'un long voyage complètement amoché: un crochet à la place d'une main, une jambe de bois, puis borgne, en plus.
— Mon pauvre chéri, mais qu'est-ce qui t'est donc arrivé?
— Un boulet de canon m'a arraché une jambe: j'ai une jambe de bois; un coup de sabre, ma main est partie: j'ai un crochet à la place. Je regardais une mouette passer, puis j'ai reçu une crotte dans l'oeil.
— Mais t'as perdu l'oeil à cause de ça?
— Eh oui! en voulant m'essuyer, j'ai reçu le crochet direct dans l'oeil.

• • •

— J'ai des problèmes avec ma blonde. Hier, je suis allé la voir, puis j'ai dû m'arrêter au deuxième. Il n'y a pas si longtemps, je me rendais jusqu'au sixième. Maintenant, je suis trop essoufflé.
— À ton âge, c'est normal que tu arrêtes après deux.
— Oui, mais le problème, c'est qu'elle habite au sixième.

• • •

— Est-ce que ta blonde est toujours jalouse sans raison?
— Ah non!
— Donc, elle n'est plus jalouse?
— Elle est toujours jalouse, sauf que maintenant elle a d'excellentes raisons.

• • •

— Il faut absolument que je retourne chez le photographe; je me trouve affreuse là-dessus.
— Pourtant, chérie...
— Je pense qu'avec pareille photo, je gagnerais un prix de laideur.
— Pourtant, pourtant...
— Pourtant, quoi?
— Pourtant... je trouve que tu parais bien naturelle.

• • •

— Je voudrais une photo de moi, c'est un souvenir pour mon chum.
— Très bien, mademoiselle. J'espère qu'il va la trouver belle. Une grande ou une petite photo?
— Petite. Et n'oubliez pas de bien fermer la bouche.

• • •

— Hier, j'ai reçu une lettre de mon ami qui se trouve dans le Sahara.
— J'espère qu'il ne t'a pas dit qu'il manquait d'eau.
— Non, mais je m'en suis aperçue quand j'ai vu que le timbre sur son enveloppe était épinglé au lieu d'être collé.

• • •

— Mon cher Fernando, on a fait l'amour ensemble pour la première fois.
— Es-tu contente, Clara?
— Dis-moi, serais-tu dentiste, par hasard?
— Pourquoi tu demandes cela?
— Parce que je n'ai rien senti.

• • •

— Madame, acceptez mes compliments, vous êtes réellement belle.
— Dommage que je ne puisse en dire autant de vous, monsieur.
— Vous n'avez qu'à faire comme moi, madame, c'est si facile de mentir.

• • •

— Je me suis fait une nouvelle blonde la semaine dernière; une strip-teaseuse.
— Ce doit être formidable?
— Pas tant que ça, le temps que ça lui prend pour se déshabiller, j'ai le temps de m'endormir bien dur!

• • •

— L'autre jour, je me promenais en décapotable avec ma blonde. Une mouette vient à passer au-dessus de nous et laisse un p'tit cadeau dans le pare-brise:
— Chéri, qu'est-ce qu'on fait, est-ce qu'on arrête pour l'essuyer?
— Es-tu folle, on est rendu beaucoup trop loin...

• • •

— Va pas trop vite, mon pitou, s'il fallait que les freins manquent.
— Y a aucun danger, mon minou; y a pas de freins.

• • •

J'ai rencontré une fille bien bizarre...
Je lui ai passé les mains dans le dos, puis un peu plus bas, et elle m'a dit:
— Vous ne pourriez pas mettre vos mains ailleurs?
— On n'est pas pour faire ça ici voyons; il faudrait aller à mon appartement.

• • •

— Es-tu bien certaine que ton nouveau chum est un gars sérieux?
— Il n'y a pas plus sérieux que lui. J'en veux pour preuve qu'il est marié et père de quatre enfants.

• • •

Le directeur d'un salon funéraire:
— Je connaissais bien votre pauvre mari. C'était un homme charmant, madame.
— Dans ce cas monsieur, vous allez bien me faire un certain rabais!

• • •

Au cinéma, un tout jeune homme essaie timidement de prendre la main de sa blonde.
— Ah non, Tonto, je t'ai dit que ce soir on payait chacun nos dépenses...

— Mon chéri, tu n'as aucune raison d'avoir peur de prendre l'avion pour nos vacances. Si c'est pas ton heure, t'as rien à craindre.
— Si c'est pas mon heure, d'accord, mais si c'est l'heure du pilote?...

• • •

— Dis-moi, mon amour, que tu m'aimeras autant quand nous serons mariés?
— Bien sûr, chérie, et même plus, puisque j'ai toujours eu un faible pour les femmes mariées...

• • •

Un jeune amoureux fréquente sérieusement une jeune fille dont le père est très à l'aise.
N'ayant pas froid aux yeux, il n'hésite pas à dire à son futur beau-père:
— Vous comprenez, monsieur, j'en ai assez de vivre avec ce que je gagne!

• • •

— Vous dansez drôlement, monsieur.
— Mais j'ai la danse dans le sang, mademoiselle!
— C'est possible, mais alors vous avez une très mauvaise circulation...

• • •

— Dites donc Ginette, jolie comme vous l'êtes, vous devez avoir une foule d'amants!
— Espèce d'effronté. Ce sont mes affaires!
— Et les affaires, ça marche?...

• • •

— On dit que les femmes vivent plus longtemps que les hommes...
— Les veuves en particulier!

• • •

— Tu ne crois pas, chérie, qu'un premier amour est quelque chose d'irremplaçable?
— Tu as parfaitement raison mon trésor. Enceinte de quatre mois comme je le suis, j'ai été bien chanceuse de te rencontrer...

• • •

— Chérie, il n'y a pas tellement d'espace en avant de ma voiture. Veux-tu aller en arrière?
— Non, je tiens à rester assise près de toi.

• • •

Chapitre XIII
L'HUMOUR QUI SENT GENDRE:
(Sacrée belle-mère!)

— Docteur j'ai fait un rêve épouvantable.
— Racontez, mon ami.
— Ma belle-mère et un crocodile me poursuivaient.
— Ça devait être épouvantable en effet.
— Épouvantable n'est pas le mot. Imaginez sa peau rugueuse, ses yeux pleins de sang, son haleine empoisonnée... quel cauchemar!
— Ce doit être horrible.
— Attendez maintenant que je vous décrive le crocodile.

● ● ●

— Bonjour, monsieur. Que puis-je faire pour vous?
— Je voudrais acheter un fusil de gros calibre... pour ma belle-mère...Ha! Ha! Ha!
— Avez-vous votre permis de port d'armes?
— Non, mais j'ai la photo de ma belle-mère.

● ● ●

— Ernest, peux-tu me dire la différence entre un léopard, une laitue et une belle-mère?
— Un léopard, c'est un animal; une laitue, c'est un légume, puis une belle-mère... j'sais pas.
— Facile: le léopard est tacheté sur le dos, la laitue est achetée au marché, puis la belle-mère est à jeter par la fenêtre.

● ● ●

— Suis-je bien au poste de police?
— Oui. Qu'est-ce que je peux faire pour vous aider?
— Ma belle-mère vient de se pendre.
— L'avez-vous détachée?
— Non, non. Elle respire encore un peu...

● ● ●

— Cher monsieur, nous venons de passer cinq heures dans la salle d'opération avec votre belle-mère.
— Comment est-elle, docteur?
— Il va falloir vous armer de courage. Il y a des moments dans la vie qui sont parfois pénibles. Il faut savoir être fort.
— Je suis prêt au pire, docteur.
— Monsieur, votre belle-mère est sauvée.

● ● ●

Chapitre XIV
L'HUMOUR QUI SE DROGUE:
(Dans le monde du sport)

Une course importante est disputée. Tous les grands favoris sont là. C'est un parfait inconnu qui les a tous dépassés et qui est arrivé premier. On lui demande alors:
— Monsieur, on aimerait bien connaître le nom de votre entraîneur?
— À condition que moi, je puisse connaître le nom de celui qui a mis une cigarette allumée dans mes «shorts».

• • •

— Un joueur est transporté d'urgence à l'hôpital pour une opération. Il a avalé une balle de ping-pong.
Le docteur demande au jeune homme qui l'accompagne:
— Qui êtes-vous, monsieur?
— Je suis son partenaire. J'attends pour avoir la balle, le match n'est pas terminé.

• • •

— Moi, quand je vais à la chasse, je manque toujours mon gibier, même avec dix balles.
— Moi je suis plus chanceux. Je l'attrape toujours au deuxième coup de fusil.
— La prochaine fois, perds pas ton temps. Tire le deuxième coup en premier.

• • •

— Salut, Guillaume. Savais-tu que notre champion canadien du saut en hauteur, Roger Soubresaut, a été disqualifié par le comité antidrogue?
— Dis-moi pas qu'il a sniffé de la coke?
—Pire que ça, il a sniffé de l'hélium...

• • •

— Mademoiselle, je voudrais avoir des mouches.
— Vous avez le choix, monsieur.
— Ce sont des mouches à feu que j'aimerais avoir parce que je pêche toujours la nuit.

• • •

— Mario Tremblay a ouvert un nouveau restaurant et sur le menu, c'est écrit: steak «coach» 100$. Tu trouves pas ça un peu fort.
— Bah! les Jean Perron...

• • •

— Moi je trouve que le karaté, c'est un sport stupide.
— Pourquoi tu dis ça?
— C'est bien simple. Les gars passent des années à frapper sur une planche de bois, puis y en a jamais eu un seul qui s'est fait attaquer par elle.

• • •

— Avant un combat de boxe, comment te sens-tu, Jos?
— O.K.!
— Puis après le combat?
— K.O.!

• • •

— Un homme somnolait dans sa voiture. Un jogger s'arrête et lui demande l'heure. Quinze minutes plus tard, le même jogger revient et lui demande encore l'heure.
Fatigué de se faire déranger durant sa sieste, le propriétaire de la voiture inscrit dans la vitre: «Je n'ai pas l'heure».
Quinze minutes plus tard, un nouveau jogger s'adonne à passer, frappe à la portière et dit:
— Si ça peut vous rendre service, monsieur, il est 8h45.

• • •

— Mon très cher, il me fait plaisir de vous recevoir à mon château. Je vais vous remettre un fusil et deux chiens. Allez faire un peu la chasse, ça vous distraira.
— Formidable, moi qui n'ai jamais chassé!
IL SORT (BANG! BANG!) ET REVIENT PRESQUE TOUT DE SUITE.
— Vous revenez bien vite, mon ami?
— Je suis venu à bout des deux chiens. En avez-vous deux autres?

• • •

— Les Écossais sont reconnus pour être plutôt économes. McIntosh et Mc Intire escaladent le mont Everest. Pas chanceux, après deux milles d'ascension, c'est la tempête du siècle.
Ils s'enferment dans une cabane isolée.
Après quinze jours, tous leurs vivres étant épuisés, ils se retrouvent à moitié morts.
On frappe à la porte.
— Qui est là?
— C'est la Croix-Rouge.
— Laissez faire, on a déjà donné.

• • •

— Au secours, au secours je me noie.
— Oh! miséricorde!
— La misère, je l'ai; envoyez-moi la corde.

• • •

— Grand Saint-Pierre, il faut que je vous confesse une faute grave. Quand j'étais sur la terre, j'étais arbitre au hockey et je prenais toujours pour les Nordiques de Québec.
— C'est pas grave, tu vas rester ici, au ciel, avec nous autres.
— Mais Saint-Pierre, j'ai triché, j'ai refusé j'sais pas combien de buts aux Canadiens de Montréal.
— Ne t'en fais pas pour ça. Reste avec nous au paradis.
— Mais Saint-Pierre, c'est pas juste.
— Reste ici, j'ai dit. Et puis, arrête donc de m'appeler Saint-Pierre, mon nom c'est Michel Bergeron.

• • •

— Hé! les gars, savez-vous ce qui est arrivé au champion du saut à la perche de l'Allemagne de l'Est?
— Non.
— Il est devenu champion du saut à la perche de l'Allemagne de l'Ouest.

• • •

— Dites donc, monsieur, est-ce que ça mord?
L'homme ne répond pas.
— J'aimerais savoir si ça mord dans le coin?
Sa femme qui pêche à ses côtés:
— Il ne vous répondra pas, parce qu'il est...
— Et vous, ma bonne dame, pourriez-vous me dire enfin si ça mord?
Elle ne répond pas.
— Elle ne vous répondra pas, elle est sourde.

• • •

Un jeune homme explique à une jeune fille pas trop délurée:
— Il m'est arrivé un terrible accident de skis l'hiver dernier. J'ai fait une chute dans la neige et j'ai dû rester allongé trois semaines.
— Mon Dieu, il n'y avait donc personne pour te relever?

• • •

Au Canada, les récipiendaires d'une médaille d'or aux Jeux Olympiques sont plutôt rares.
Un détenteur canadien d'une telle médaille confie à un journaliste:
— Je veux en faire un objet d'art. Je vais la faire recouvrir de bronze.

Chapitre XV
L'HUMOUR QUI SE TERRENEUVISE:
(À l'assaut des Newfies)

— Je connais un jardinier newfie pas intelligent. Il arrose son jardin sous la pluie.
— Connais-tu aussi un jardinier newfie intelligent?
— Oui. Il arrose son jardin sous la pluie, avec un parapluie ouvert.

• • •

— Pourquoi les Newfies se baignent-ils toujours au milieu de la piscine?
— Parce qu'ils sont niaiseux sur les bords.

• • •

— Casimir, peux-tu me dire comment un bébé newfie vient au monde?
— Aucune idée.
— Demande donc à ta mère.

• • •

— Les gars, la police m'a collé un beau ticket de 50,00$, puis ça me dérange pas.
— Tu écopes d'une amende de 50,00$, puis ça te laisse indifférent?
— Je viens de vendre mon ticket 100,00$ à un Newfie.

• • •

— Avez-vous vu ça dans le journal? Il y a un curé newfie qui s'est fait couper les deux jambes.
— Comment ça?
— C'est pour pouvoir dire des messes basses.

• • •

— M. l'agent, aidez-moi. Je viens d'être violée par un newfie dans une ruelle déserte, en pleine noirceur.
— Mais, mademoiselle, comment pouvez-vous affirmer que c'est un newfie?
— Il m'a fallu lui montrer comment s'y prendre...

• • •

— Savez-vous pourquoi les Newfies mettent du velours sous leurs skis?
— C'est pour faire du Ski-Doo.

• • •

— Dans une prison, un groupe de Newfies se réunit pour préparer une évasion, Le plus vieux dit au plus jeune:
— Va mesurer la hauteur de la clôture. Si elle est trop haute, on va creuser et passer par en-dessous.
Le lendemain, le plus jeune dit au plus vieux:
— Mauvaise nouvelle, on pourra pas s'évader, y a pas de clôture.

• • •

— Un Newfie hèle un taxi pour se rendre à la gare. Arrivé à destination, le chauffeur lui dit:
— C'est 7,00$, monsieur.
— Oh! la la, j'ai seulement 6,50$; vous ne pourriez pas reculer de 50 cents?

• • •

— En vacances à Acapulco, un Newfie commande une téquila. Il avale d'un trait et tout se met à tourner autour de lui.
— C'est drôlement fort, ce truc-là. Qu'avez-vous mis là-dedans pour que ça faisse un tel effet?
— Rien de spécial, c'est juste un p'tit tremblement de terre qui vient de passer.

• • •

— Deux Newfies sont à la chasse. Le premier tire sur le deuxième qui arrivait derrière les broussailles.
À l'urgence de l'hôpital, le médecin demande:
— Qu'est-ce qui s'est produit?
— Mon chum est arrivé derrière les buissons, puis j'ai tiré par erreur.
— Oui, ça je le sais, mais pourquoi l'avoir vidé?

• • •

— Raoul, je connais un Newfie qui a décroché un emploi dans une compagnie d'importation de bananes.
— Est-ce qu'il aime ça?
— Ils ont été obligés de le renvoyer; il jetait toutes les bananes croches.

• • •

— Je suis allé au restaurant tantôt, et imagine-toi donc que je me suis fait servir par une Newfie.
— As-tu eu à te plaindre du service?
— Je lui ai demandé seulement un chocolat chaud.
— As-tu fini par l'obtenir?
— Elle m'a apporté une tablette de chocolat avec un carton d'allumettes...

• • •

— Mon voisin s'est acheté un beau gros chien.
— Quelle sorte?
— C'est un danois bien spécial. Au lieu que le chien apporte le journal à son maître, c'est le chien qui traîne son maître jusqu'au journal.
— Ah! C'est un danois de Terreneuve?

• • •

De méchantes langues prétendent que les newfies sont contre l'amour avant le mariage parce qu'ils ont peur que ça retarde la cérémonie...

• • •

— Un Newfie s'en va au bureau de poste et achète un timbre de 38 cents. Il demande au commis:
— Voulez-vous enlever le prix, c'est pour un cadeau.

• • •

Chapitre XVI
L'HUMOUR QUI SE TRANSMET:
(La famille. La parenté)

— Jean-Jules, y va falloir qu'y se passe quelque chose dans ta vie.
— Oui «poupa».
— T'es rendu à 48 ans pis t'es toujours célibataire.
— C'est trop fatigant de chercher une femme. Toi-même, tu t'es marié à 52 ans parce que tu trouvais ça difficile de trouver une femme.
— C'est pas une raison. Il est temps que tu fondes une famille. S'il le faut, je vais t'en chercher une.
— Dans ce cas-là, pourrais-tu me trouver une femme déjà enceinte?

• • •

— Notre fille Lili est tellement intelligente que chaque fois qu'elle nous écrit, on est obligé de consulter le dictionnaire.
— Notre fils Hubert est tellement intelligent que chaque fois qu'il nous écrit, on est obligé de courir à la banque.

• • •

— Mon beau-père est allé en Europe suivre une cure de rajeunissement. C'est vraiment une cure miraculeuse.
— Quel âge a-t-il votre beau-père?
— 85 ans. Je l'ai appelé l'autre jour pour avoir de ses nouvelles; il m'a répondu, en pleurant.
— Pourquoi pleurait-il ainsi?
— Il m'a dit qu'il avait peur d'arriver en retard à l'école.

• • •

— Papa, je veux me marier avec la petite Sophie.
— La fille de notre voisin? Voyons, fiston, tu n'as que 8 ans, puis ça prend de l'argent pour se marier.
— Tu vas m'en donner un peu; Sophie a déjà 2,40$ de rammassé.
— Vous êtes pas mal débrouillards. Et si vous avez un enfant?
— On verra. Jusqu'à maintenant on a été chanceux...

• • •

— Pauvre Louis, il a les yeux de plus en plus croches.
— Comment l'as-tu remarqué?
— Je l'ai vu suivre un match de tennis sans qu'il bouge la tête une seule fois.

• • •

— Mon beau-frère en a encore au moins pour une semaine à l'hôpital.
— Qu'est-ce qui lui est arrivé?
— Il a voulu s'amuser en ouvrant la gueule d'un cheval pour compter ses dents avec ses doigts. Puis le cheval a voulu s'amuser en fermant sa gueule pour compter les doigts de mon beau-frère avec ses dents.

• • •

— Moi, le café m'empêche de dormir.
— Mon frère, lui, c'est le lait.
— Comment ça?
— À tous les matins à 4h00, il doit en livrer au moins 400 bouteilles.

• • •

— Mon p'tit neveu m'a dit l'autre jour: «J'ai hâte d'être sexagénaire pour profiter du sexe.»
— Mon neveu à moi, il m'a dit: «Absorbine, ça veut-y dire, mangeur de fèves au lard?»

• • •

— J'te dis que mon oncle Télesphore, y est pas fort. Il a dit au pharmacien qu'il se sentait très faible et il s'est fait prescrire des pilules ravigotantes.
Deux semaines plus tard, il est retrouné à la pharmacie et le pharmacien lui a demandé:
— Alors, mon ami, est-ce que mes pilules vous ont fait du bien?
— J'ai pas pu ouvrir la bouteille, j'étaits trop faible.

• • •

— Mon p'tit Louis, va poster cette lettre-là que je viens d'écrire à ton père.
— Pourquoi t'as écrit en si grosses lettres, maman?
— Tu l'sais que ton père est dur d'oreille.

• • •

— Mon oncle Alcide, toujours débrouillard, voulait différencier ses deux chevaux.
Il a décidé de les mesurer. Il s'est rendu compte que son cheval noir mesurait deux pieds de plus que son cheval blanc.

• • •

— Ma tante Alma ne sait pas écrire. Lorsqu'elle encaisse son chèque de pension de vieillesse, elle l'endosse en faisant un «x».
Le mois dernier, au lieu de faire un «x», elle a fait un «carré» au dos de son chèque.
Intrigué, le caissier lui demande:
— Habituellement, vous faites toujours un «x», chère madame?
— C'est parce que je viens de me remarier; j'ai changé de nom.

• • •

— On sait que les jeunes d'aujourd'hui n'ont pas la langue dans leur poche.
La mère dit à sa bambine de 3 ans:
— Si t'es trop tannante, on n'ira pas au zoo dimanche prochain.
— Ça fait rien, maman; j'aime pas ça les hommes tout nus.

• • •

— Deux petites cousines se confient:
— J'ai trouvé un condom sur la vérenda.
— Qu'est-ce que c'est: une véranda?...

• • •

Dans une garderie, à Hollywood, une petite fille confie à ses camarades:
— Mon papa, il est extraordinaire.
— On le sait, on l'a eu l'année passée.

• • •

— Mon fils, c'est gentil de ta part de visiter ainsi toutes les propriétés de ton père. J'espère que tu as bien observé, parce qu'un jour...
— Ah oui, papa.
— Parce qu'un jour, tout cela appartiendra à ton ex-épouse.

• • •

— Moi, j'ai un frère qui est assez gros, qu'il n'a pas vu le bout de ses pieds depuis dix ans.
— Moi, j'ai un beau-frère qui est tellement grand que, pour enlever son chapeau, il doit monter dans une échelle.
— Moi, j'ai un oncle qui a les jambes tellement longues, qu'il attrape du froid aux pieds en décembre et il commence à éternuer en mars.

• • •

— Mon frère s'est acheté une Fierro 2,8; il peut faire monter deux personnes.
— Moi, ma soeur s'est acheté une 4 cylindres; c'est bon pour quatre personnes.
— Ma cousine, elle, a une Reneault 5, puis elle peut faire monter cinq personnes.
— C'est rien, ça. Mon voisin d'en face, il vient de s'acheter une Pontiac 6000...

• • •

— Je viens de m'associer avec mon beau-frère.
Lui, apporte son argent, puis moi, mon expérience.
— Ça va donner quoi, dans trois ans?
— Moi, je vais avoir l'argent et lui, l'expérience.

• • •

— Maman, y a une puce qui me pique.
- Voyons, mon trésor, tu sais bien qu'il n'y a pas de puces ici.
— Maman, y a puce qui me pique.
— Cesse de dire ça. Il n'y a pas de puces ici; c'est une erreur.
— Maman, c'est pas drôle, l'erreur me pique de plus en plus.

• • •

— Mon beau-frère ne lit jamais les caractères gras?
— Pourquoi donc?
— Il a peur de faire du cholestérol.

• • •

— Ton papa a-t-il commencé à travailler mon petit Charlot?
— Oui, ma tante, il a commencé hier. Mais aujourd'hui il est en grève.

• • •

— Dis-moi, cousin Tancrède, selon toi, à qui ressembles-tu le plus: à ton père ou à ta mère?
— Euh...
— Pourquoi ne réponds-tu pas?
— Parce que je veux faire de tort à personne!

• • •

— Ma fille, tu te maries demain. N'oublie pas ce conseil de ta mère: Ne discute jamais, pleure!

• • •

— La disparition de mon père a laissé un vide douloureux.
— Comment un vide peut-il être douleureux?
— T'as jamais eu mal à la tête?

• • •

— Mon oncle est trop pauvre pour s'acheter un appareil pour mieux entendre. Mais il n'est pas fou, le vieux, il s'est fixé un lacet à l'oreille.
— Est-ce qu'il entend mieux?
— Non, mais les gens parlent beaucoup plus fort.

• • •

— À l'enterrement d'un riche banquier, Anatole pleure toutes les larmes de son corps.
Un copain lui dit:
— Je ne savais pas que tu étais un proche parent de ce millionnaire?
— Je ne suis pas parent, de répondre Anatole.
— Alors pourquoi tu pleures?
— Justement, c'est parce que je ne suis pas parent.

• • •

— Le petit Prosper qui a 5 ans est allé passer la journée chez son grand-père.
À la fin de l'après-midi, le grand-père téléphone à la mère pour lui demander quand elle veut qu'il ramène l'enfant.
La mère répond sans lamoindre hésitation:
— Quand il aura 18 ans!

• • •

— Comme ça, ton oncle Isidore est décédé. Avant de mourir, est-ce qu'il était en possession de toutes ses facultés?
— C'est difficile à dire; nous n'avons pas encore pris connaissance de son testament.

• • •

— Maman, le bon Dieu est malade.
— Pourquoi tu dis ça, Sylvie?
— J'ai lu dans le journal: «Le docteur Dubois a été rappelé à Dieu!»

• • •

— Un petit garçon demande à son père qui est directeur de banque:
— Papa, c'est quoi le capital travail?
— Pierrot, si tu prêtes de l'argent, c'est un capital. Si tu décides de te faire rembourser, c'est là que commence le travail!

• • •

— La maman donne le bain à sa fille Louise, 6 ans, et à son fils Daniel, 4 ans:
— Pourquoi Daniel il a "ça", maman?
— Parce que c'est un petit garçon.
— Pourquoi j'en ai pas, moi?
— Parce que t'es un fille.
— J'en voudrais une comme Daniel.
— Patiente Louise. Quand tu seras grande, tu en auras une si tu es sage. Si tu n'es pas sage, tu en auras plusieurs...

• • •

— Une jeune femme dit à une amie:
— Ah non! Jamais je n'élèverai ma fille selon les principes de ma mère!
— Pourquoi, veux-tu bien me le dire?
— J'ai pas envie d'avoir une fille idiote...

• • •

— De mauvaises langues prétendent que ce n'est pas très propre chez ton frère.
— Laisse faire les mauvaises langues. Pourquoi dis-tu cela?
— On raconte que c'est tellement sale chez lui, que ton frère doit s'essuyer les pieds avant de sortir...

• • •

Chapitre XVII
L'HUMOUR QUI A DES OREILLES:
(Salut, voisin! voisine!)

Jos arrive à la maison à deux heures du matin, jour après jour. Il s'empare d'une première chaise, la lance en l'air et la laisse retomber sur le plancher.
Puis, il en prend une deuxième, fait exactement le même manège qui produit le même vacarme.
Exaspéré, le voisin d'en-dessous lui rend visite.
— Écoute, mon vieux, tu devrais être plus raisonnable avec tes chaises, tu me réveilles à chaque fois.
— D'accord, je vais essayer de faire attention à l'avenir.
Le soir suivant, Jos revient à la maison à deux heures du matin, se saisit d'une chaise et fait le même bruit.
Se souvenant de sa promesse au voisin, il prend une deuxième chaise, la soulève délicatement et la dépose doucement sur le plancher. Au bout d'une demi-heure, le téléphone sonne:
— Qu'est-ce que t'attends pour lancer la deuxième chaise pour que je puisse enfin dormir?

• • •

Ma voisine a un chien qui s'appelle Pire. Pire s'évade en pleine nuit en aboyant. Ma voisine se réveille en sursaut et lui court après, flambant nue.
Elle rencontre un policier et lui demande:
— Avez-vous vu Pire?
— Non, mais j'ai déjà vu mieux.

• • •

— Qu'est-ce que tu ferais à ma place, Isidore? Ma femme se désole parce que la voisine a une robe pareille à la sienne.
— Achète-lui une autre robe. C'est pas mal moins cher que de déménager.

• • •

— Mon voisin est tellement pauvre qu'il ne sort même pas ses vidanges.
— Qu'est-ce qu'il fait avec?
— Il les rentre.

• • •

— Victor, il y a une photo dans ton salon qui pique ma curiosité; j'y vois une brique et une rose.
Ça représente quoi, veux-tu bien me le dire?
— C'est la brique qui m'a été lancée en plein front par mon voisin d'en face.
— Pourquoi la rose?
— La rose a été cueillie sur le terrain où mon voisin est enterré.

• • •

— Ma voisine est la pire des conductrices. Pas plus tard qu'hier, elle a reculé son véhicule sur le trottoir, passé sur une bicyclette, provoqué un court-circuit en brisant un poteau de téléphone qui a mis le feu à sa voiture.
La police a dû l'amener au poste.
— On lui a certainement enlevé son permis de conduire?
— On n'a pas pu, il avait brûler avec la voiture.

• • •

— Ce qui m'énerve, cher voisin, c'est que je suis à la veille de me marier, et jai pas encore trouvé de logement.
— Pourquoi ne pas aller habiter provisoirement chez les beaux-parents?
— Impossible d'y songer. Ils habitent encore «provisoirement» chez leurs parents.

• • •

— Mon petit Jules, maman est bien contente que notre voisine t'invite pour ta fête. Mais n'oublie pas avant de partir d'aller lui faire des excuses!

• • •

Dans l'autobus, un monsieur pose la main sur le genou de sa voisine:
— Vous vous trompez, monsieur.
— Comment, c'est pas votre genou?

• • •

Deux jeunes voisins s'amusent au bord d'un lac:
— Tu viens faire un plongeon?
— Es-tu fou? Si je me noie, ma mère me tue...

• • •

Suzanne raconte à sa voisine la nuit mouvementée qu'elle a vécue:
— Je dormais paisiblement quand j'entends un bruit bizarre dans la maison. Je me lève. Je saisis une lampe de poche et j'aperçois les pieds d'un homme sous le lit.
— C'était un cambrioleur?
— Non, c'était mon mari. Lui aussi avait entendu le bruit.

• • •

Un monsieur débrouillard récupère un vieux wagon qu'il installe dans sa cour et le transforme en bungalow.
Un jour, la voisine aperçoit le bonhomme et lui dit d'un air étonné:
— Pourquoi sortez-vous par cette pluie battante, pour fumer votre cigare sous un parapluie? Vous seriez beaucoup mieux au chaud, dans votre wagon.
— Hélas, c'est impossible, madame. Regardez vous-même: c'est un wagon non-fumeurs!

• • •

— Mais on ne vous voit plus, cher voisin?
— Je suis en train d'écrire un roman.
— Quelle drôle d'idée quand on sait qu'il s'en vend des tout faits dans toutes les librairies...

• • •

Chapitre XVIII
L'HUMOUR QUI S'INFORMATISE:
(En milieu de travail)

— Henriette, j'te trouve tellement désirable que j'te donnerais 300$
— Es-tu fou? O.K., viens derrière le paravent.
— Tiens, voilà tes 300$. Je t'adore.
LE MARI ARRIVE-
— Bonjour, chérie.
— Bonjour, mon amour. As-tu passé une bonne journée au bureau?
— Pas trop mal. Dis donc, est-ce que Raoul est venu porter les 300$ qu'il me doit?

• • •

— Bonjour, monsieur. Je viens à votre école pour apprendre à conduire. D'après votre expérience, est-ce que ça m'en prendra plusieurs?
— Trois ou quatre, chère petite madame.
— Seulement trois ou quatre leçons?
— Non, non. Pas trois ou quatre leçons; trois ou quatre voitures...

• • •

— Tu as une bien jolie robe, ma chère.
— C'est mon mari qui me l'a offerte pour se faire pardonner.
— Qu'avait-il donc fait?
— Imagine-toi donc que je l'ai surpris à son bureau alors que sa secrétaire était assise sur ses genoux.
— J'espère que tu vas t'arranger pour qu'elle soit congédiée.
— Il n'en est pas question. Je rêve d'un beau manteau de vison pour l'hiver prochain.

• • •

— Tu connais Wilfrid, le pas fin du bureau?
— Qui ne connaît pas Wilfrid?
— Figure-toi que je l'ai surpris avec ma femme hier.
— J'espère que tu lui as dit qu'il allait payer pour ça.
— Oui, mais il m'a répondu qu'il avait déjà payé pour ça...

• • •

— Monsieur, je cherche du travail. Avez-vous besoin de quelqu'un?
— Vous arrivez juste à point.
— Vous payez combien?
— Le prix que vous valez.
— Ça ne m'intéresse pas.
— Comment, vous cherchez du travail, je vous en offre, puis ça ne vous intéresse pas?
— Ça ne m'intéresse pas de travailler pour rien.

• • •

Salut, Télesphore. Comment ça va avec ta mercerie?
— Les affaires sont pourries. Lundi, j'ai vendu un pantalon. Mardi, je n'ai rien vendu. Mercredi, ça été pire que mardi.
— Ça ne pouvait pas être pire que mardi puisque tu n'as rien vendu?
— Bien oui puisque mercredi, le gars de lundi est venu se faire rembourser pour le pantalon qu'il avait acheté.

• • •

— Monsieur, avant de vous engager je veux que vous me prouviez que vous êtes une personne responsable.
— Et comment donc! Où je travaillais avant, chaque fois qu'il y avait une erreur de commise, c'est toujours moi qui étais responsable.

• • •

— Mademoiselle, voudriez-vous poser pour moi?
— Mais, je ne suis pas modèle, monsieur.
— Ça ne fait rien. Je ne suis pas peintre non plus.

• • •

— Sais-tu pourquoi je traîne toujours un chiffon quand je vais demander une augmentation de salaire à mon patron?
— C'est parce que je sais d'avance que je vais essuyer un refus.

— J'ai un poteau de téléphone à mesurer à l'usine, puis j'arrive pas à joindre les deux extrémités avec mon gallon.
— Couche le poteau par terre.
— Le patron a demandé la hauteur, pas la longueur.

• • •

— Mademoiselle, vous avez fait vingt fautes. Vous n'avez donc pas relu cette lettre?
— Mais non, patron; vous avez insisté pour me dire que c'était confidentiel.

• • •

— Bonjour, monsieur. Vous n'êtes pas de la place, je crois?
— Effectivement, je voyuage. Je suis représentant.
— La maison que vous représentez s'occupe de quoi?
— De la fabrication de condoms.
— Vous voyagez toujours avec votre fille?
— Oh! ce n'est pas ma fille; elle est plutôt l'objet de la plainte d'un client.

• • •

— Où étiez-vous hier après-midi, je ne vous ai pas vu?
— J'ai bûché du bois, patron.
— Joseph, ne mentez pas, j'ai horreur du mensonge. Je vous ai cherché partout et je ne vous ai pas vu.
— Je vous le répète, monsieur, sans vous mentir: j'ai bu, chez Dubois.
— Joseph, vous êtes un brave garçon.

• • •

— Allô, patron, c'est Beaulieu. Je suis bloqué ici. Il y a un violent ouragan et pas d'avion. Qu'est-ce que je fais?
— Vous êtes en voyage d'affaires à Miami depuis trois jours; il serait grandement temps que vous reveniez au bureau. Si vous ne pouvez pas, prenez donc vos deux semaines de vacances immédiatement, Beaulieu.

• • •

— Mon ami, j'ai un rôle plutôt exigeant pour vous, mais bien payé; c'est le rôle de Gargantua. Êtes-vous capable de beaucoup manger?
— Certainement, monsieur. Je peux manger un boeuf, un mouton, une douzaine de poules, comme si c'était rien.
— C'est très bien. Nos représentations sont de neuf heures le matin à deux heures l'après-midi et de deux heures à sept heures le soir.
— Je refuse de jouer, monsieur. Il n'y a même pas de période pour aller dîner.

• • •

— Toi qui te vantais d'avoir une perle rare comme secrétaire, comment se fait-il que tu sois en train de taper toi-même ton courrier à la machine?
— Je suis bien obligé, ma secrétaire s'est mariée.
— Avec qui?
— Avec moi.

• • •

— Bonjour, monsieur. Vous venez pour l'emploi de menuisier?
— En plein ça.
— Avez-vous rempli le formulaire, tel que demandé?
— Oui, monsieur.
— Un petit test de réflexe rapide: faites-moi voir votre main droite et votre main gauche. Le gars se frotte les mains.
— Aye aye, donnez-moi une chance, mélangez-moi pas.

• • •

— Laflamme, vous êtes en retard. Vous devez commencer à 9h00 et il est 10h00. Vous êtes mieux d'avoir une bonne excuse, autrement je vais devoir sévir.
— C'est que, voyez-vous, patron, je suis tombé en bas du neuvième étage.
— Et vous allez me faire croire qu'il vous a fallu une heure pour descendre neuf étages.

• • •

— Hier, quand je suis entré dans la banque pour travailler, je n'ai pas trouvé un chat.
— Qu'est-ce que tu as fait?
— Je suis descendu où se trouve la voûte. Elle était éventrée et tous les employés étaient nus.
— Je suppose que tu as pensé qu'il y avait eu hold-up?
— Pas du tout. Je croyais que c'était le party de bureau.

• • •

— Tu viens de me dire que t'avais un nouvel emploi. Comment trouves-tu ton patron?
— Formidable. Il est d'une délicatesse, d'une prévoyance...
— Explique-toi.
— Il m'a même donné un chèque pour les six premiers mois, et il m'a dit que si tout allait bien, il allait le signer.

• • •

— Mademoiselle, dans la lettre que je viens de vous dicter, vous avez mis un accent au mot chaleur.
Pourquoi?
— Mais, patron, on est en plein été: la chaleur s'accentue...

• • •

— Lebrun, les ordres, venant du ministère, sont formels: nous devons congédier dix fonctionnaires immédiatement.
— Mais patron, nous n'en avons que six.
— Engagez-en quatre autres au plus sacrant. Et que ça saute!

• • •

Un vieux routier déclare à qui veut l'entendre:
— Jamais plus je ferai monter une jeune fille, qui fait de l'auto-stop, dans mon camion.
Trois fois je l'ai fait. Trois fois je me suis fait violer...

• • •

— Ça n'a pas de sens. Quand est-ce que tu vas te décider à travailler?
— J'ai juste 30 ans.
— Tu devrais commencer comme apprenti dans la construction.
— Pour faire quoi?
— Après ça, devenir ouvrier spécialisé.
— Pour faire quoi?
— Et plus tard, directeur des travaux. Tu n'aurais qu'à regarder les autres travailler.
— Qu'est-ce que tu penses que je fais, présentement?

• • •

— Ma chérie, enfin je préfère te l'avouer.
— M'avouer quoi, mon trésor?
— Je t'ai trompée avec ma nouvelle secrétaire.
— Moi aussi, je t'ai trompé.
— Ah oui! Avec qui?
— Avec ton ancienne secrétaire.

• • •

— Monsieur Lebrun, je vais vous demander de peindre ma chambre en blanc.
— Avec plaisir, madame Leblanc.
— Voudriez-vous venir voir où mon mari a mis sa main hier?
— Ce serait plus sérieux si vous me laissiez terminer mon travail avant, madame Leblanc.

• • •

— Monsieur, ça fait tout de même deux semaines que vous travaillez dans notre magasin; vous devez commencer à bien connaître notre marchandise?
— La marchandise et les clients, patron. À mon avis, ils semblent tous satisfaits.
— Est-ce qu'il y a une tâche que vous préférez faire plus particulièrement au cours d'une journée?
— Fermer les portes le soir et déguerpir.

• • •

Un journaliste fait une enquête sur la longévité;
— Quel est votre âge et votre secret, monsieur?
— J'ai 97 ans, mon jeune, et j'ai bu de l'eau toute ma vie.
— Et vous, monsieur?
— J'ai 103 ans et j'ai bu du lait et mangé du yogourt durant toute mon existence.
Il y avait un autre qui avait l'air encore bien plus vieux que les deux autres et le journaliste s'enquiert:
— Et vous, monsieur, c'est quoi votre secret?
— Mon ami, les femmes, rien que les femmes et à chaque jour.
— Quel âge avez-vous donc?
— J'ai 35 ans bien sonnés.

• • •

— Pourquoi ne travaillez-vous pas, monsieur?
— Parce que je ne trouve pas de travail, madame.
— Et à quoi attribuez-vous ce fait que jamais personne ne vous ait embauché?
— À la chance, madame, à la chance.

• • •

— Arthémise, je vous engage comme domestique, mais souvenez-vous que le petit déjeuner doit étre servi à huit heures chaque matin.
— Bien, madame. Cependant, si jamais je suis en retard, ne m'attendez pas, commencez sans moi.

• • •

Un employé très timide se présente, tout tremblant, devant son patron:
— Monsieur, auriez-vous la gentillesse de m'accorder un congé exceptionnel d'une journée, le 15 du mois prochain?
— Sous quel prétexte?
— C'est parce que je me marie ce jour-là et ça ferait bien plaisir à ma fiancée si je pouvais assister à la cérémonie...

— Edgar, t'as fait une erreur dans ma paye; il me manque 10$.
— La semaine dernière, t'avait 20$ en trop.
T'est pas venu te plaindre.
— Oui, mais deux erreurs de suite, c'est inadmissible!

• • •

— Un chanteur qui est en tournée se trouve un soir devant une salle à moitié vide.
S'avançant bravement vers le micro, il déclare:
— Mesdames et messieurs, je ne pensais pas être dans une ville aussi florissante. Jamais il me serait venu à l'esprit que chaque spectateur pouvait se permettre de retenir deux ou trois fauteuils pour lui seul!

• • •

— Gertrude, j'aurais des carreaux à faire laver. Connaîtrais-tu quelqu'un qui me ferait ce travail?
— Je connais quelqu'un qui travaille très bien. Seulement, il a tendance à oublier les coins.
— Pourquoi cela?
— Pendant la guerre, il était dans la marine. Il a dû s'entraîner sur des hublots.

• • •

— Gustave n'en peut plus d'essuyer un refus chaque fois qu'il tente d'obtenir une augmentation de salaire. À bout d'arguments, il risque:
— Patron, si vous ne voulez pas m'augmenter, que diriez-vous de me donner le même salaire, mais plus souvent?

• • •

— Télesphore et son patron bavardent à l'entrée de l'usine quand passe une nouvelle employée, superbe, ravissante et d'autres choses encore!
— Quelle belle fille! n'est-ce pas, patron?
— Attention! Cinq enfants, répond le directeur.
— C'est pas possible; elle n'a pas cinq enfants?
— Elle non; mais vous, oui, Télesphore!

• • •

— Le chef du personnel demande à un individu qui vient faire application:
— Quel effet ça vous ferait d'être placé sous les ordres d'une femme?
— Je me sentirais comme chez moi, monsieur!

• • •

— C'est curieux Rémi. Vous partez toujours le premier alors que vous arrivez toujours le dernier.
— Mais, patron, je ne peux pas me permettre d'être en retard partout!

• • •

Deux cannibales se rencontrent:
— Tu fumes des blondes, toi?
— Tu sais moi, blondes ou brunes, elles finissent toutes dans la marmite...

• • •

— Quel est le comble pour une agent de bord?
— Se mettre à poil devant son avion pour lui faire lever la queue!

• • •

— Quel est le comble pour un jardinier?
— Se mettre à poil pour faire rougir ses tomates!

• • •

— Dans un party de bureau, chacun doit faire sa contribution pour la bouffe. Tout le monde suggère l'un, d'apporter la viande, l'une les fromages, l'autre des gâteaux, etc.
Seul Gaston ne s'est pas encore exprimé:
— Et toi, Gaston, qu'est-ce que tu apportes?
— Moi, j'amène ma famille...

• • •

Le grand patron d'une grande usine souffre d'insomnie. Il confie son problème à un ami qui lui conseille de compter des moutons.
Peu de temps après, ce même ami le rencontre:
— Puis, est-ce que mon remède t'a été efficace?
— Excellent au début, mais après un certain temps, je me réveille en sursaut.
— Pourquoi donc?
— Les maudits moutons portent des pancartes et me réclament des heures supplémentaires...

• • •

— Écoutez, Ernest, hier vous avez pris une demi-heure pour poster une lettre. Pourquoi aujourd'hui vous a-t-il fallu une heure?
— Mais patron, aujourd'hui il y avait deux lettres à poster!

• • •

Un maître-nageur déclare sa flamme à une jolie baigneuse:
— Si je m'écoutais, croyez-le ou non, je me jetterais à l'eau juste pour vous...

• • •

Le directeur d'un petit cabaret en province téléphone à un grand imprésario de Montréal:
— J'aurais besoin de deux comiques et d'une chanteuse.
— Pour les comiques, ça va, mais pour la chanteuse, il y a pénurie.
— D'accord, je vais accepter Pénurie.

• • •

Un écrivain en herbe soumet un essai à un éditeur intitulé: Flâneries.
Quelques jours plus tard, il revient le voir afin de savoir ce qu'il pense de son ouvrage.
L'éditeur lui fait connaître son appréciation:
— Je trouve le titre un peu long. Vous devriez supprimer les deux premières lettres.

• • •

— Porteur, tous mes bagages sont bien dans le compartiment?
— Oui, madame.
— Vous êtes sûr que j'ai rien laissé?
— Rien, madame, même pas un pourboire.

• • •

Chapitre XIX
L'HUMOUR QUI S'IMPROVISE:
(Dans de drôles de rencontres)

— Où vas-tu comme ça, Ti-Caille?
— C'est la fête de ma femme, je lui apporte son cadeau.
— Qu'est-ce que t'as là-dedans?
— Un service de vaisselle de 728 morceaux.
— Ça dû coûter une fortune?
— Pas tellement.
— 728 morceaux; penses-y un peu...
— En réalité, c'était un 52 morceaux, mais j'ai échappé la boîte en sortant du bureau...

• • •

— Dis donc, vieux, t'est-tu déjà demandé si on doit dire «un» sandwich ou «une« sandwich?
— J'y ai déjà pensé.
— Puis, as-tu trouvé la réponse?
— Dans mon cas y a pas de problème.
— Comment ça?
— Parce que je commande toujours deux sandwiches.

• • •

— Ernest, as-tu gagé dans la prochaine course de chevaux?
— Oui, Casimir.
— As-tu suivi mon conseil?
— Oui, j'ai gagé comme tu m'as dit: le nombre de boutons de mon gilet, plus le nombre de boutons de ma chemise, plus le nombre de fois que j'ai fait l'amour le mois passé. Ma gageure est donc 4, 7, 15.
— On vient d'annoncer la combinaison gagnante qui est 4, 7, 1.
— Ah! non, si j'avais su j'aurais dit la vérité.

• • •

— Dans ce bouquin que tu m'as demandé de te prêter, porte une attention particulière aux caractères gras.
— Je ne lis pas les caractères gras.
— Pourquoi?
— Je ne tiens pas à faire de cholestérol.

• • •

— Eh! les gars, j'ai changé de «job» la semaine dernière.
— Ah oui!
— J'suis le seul homme avec 60 femmes.
— Tu travailles dans quoi?
— Une manufacture de souliers.
— Tu fais quoi?
— Les talons...

• • •

— Comment ça va, mon vieux?
— J'ai perdu ma blonde.
— Y faut pas te laisser abattre. Va au cinéma, sors, distrais-toi.
— J'peux pas.
— Y a rien de mieux que la distraction pour t'aider à oublier ton chagrin. Secoue-toi un peu.
— J'peux pas.
— Comment tu peux pas?
— J'ai pas de chagrin.

• • •

— Mon ami, j'ai suivi ton conseil. Comme ma Gertrude était un peu trop gaillarde pour mes «p'tits moyens», j'ai utilisé un fusil.
— Donc quand tu vas dans le bois avec elle et que l'envie te prend, tu tires un coup de fusil et elle accourt vers toi. N'est-ce pas merveilleux?
— Au début, oui. Mais depuis l'ouverture de la chasse, je l'ai jamais revue...

• • •

Deux amis se croisent dans la rue:
— Et puis Victor, comment s'est passée ta nuit de noces?
— Plutôt mouvementée.
— Comment ça!
— J'ai dû conduire ma nouvelle femme à la salle d'accouchement!

• • •

— Maudit que mes souliers usent vite.
— Suis mon conseil. Fais les plus grands pas possibles; de cette façon tes souliers touchent moins souvent à terre.
— T'es pas le premier à me dire ça. La dernière fois que j'ai fait une super grande enjambée pour ménager mes souliers de 60,00$, j'ai fendu mes culottes de 70,00$.

• • •

— Eh! les gars, l'autre jour on m'a interviewé pour un sondage sur les élections. On m'a demandé pour qui ma femme allait voter?
— Sûrement pour mon candidat.
— Très intéressant. Qui sera votre candidat?
— Je l'sais pas, ma femme l'a pas encore choisi.

• • •

— Alphonse, j'ai pas une bonne nouvelle pour toi. Je viens de faire une livraison à ton domicile puis j'ai surpris ta femme avec ton meilleur ami.
— Attends que j'aille lui régler son compte.
IL REVIENT.
— Tu m'en as fait une belle, Raoul. C'était pas mon meilleur ami; c'est un gars que j'connais même pas!

• • •

— T'as donc bien l'air piteux. Qu'est-ce qui t'arrive?
— J'ai perdu mon p'tit chien Caramel.
— As-tu pensé d'appeler l'S.P.C.A.?
— On l'a pas trouvé.
— As-tu pensé au poste de police?
— On l'a pas trouvé.
— As-tu pensé à placer une annonce dans les journaux?
— Inutile. Y sait pas lire.

• • •

Gustave voulait distraire son ami aveugle. Il l'a emmené dans un cabaret de strip-tease... pour qu'il écoute la musique.

• • •

— Ça fait trois mois que je reçois des lettres de menaces.
— T'es pas sérieux. Je suppose que, comme ça arrive la plupart du temps dans ces cas-là, ces lettres ne sont pas signées. Ce sont de vulgaires lettres anonymes.
— C'est pourtant bien signé: «Revenu Canada».

• • •

— Gustave, qu'est-ce que tu fais avec toutes ces chaudières?
— Mon toit est percé, puis comme il pleut, c'est pour protéger mon plancher de cuisine.
— Tu devrais faire réparer ton toit.
— Es-tu fou, il pleut beaucoup trop.
— Oui, mais demain on prédit qu'il fera beau soleil.
— Alors s'il fait beau, j'aurai pas besoin de le faire réparer.

• • •

— J'ai l'intention de faire un film sur ma vie.
— J'imagine que ta femme sera dans le film?
— C'est une autobiographie, pas un film de guerre...

• • •

— Oui, mon vieux, j'ai enfin adhéré au nouveau mouvement.
— Quel nouveau mouvement?
— Le mouvement de la libération des hommes. On veut être égal à la femme.
— Vous n'avez pas beaucoup d'ambitionl.

• • •

— Depuis son mariage, mon ami Roméo avait des problèmes avec sa p'tite femme. Elle était à ce point nerveuse qu'elle refusait de coucher avec lui.
— Ça s'est réglé comment?
— Elle a consulté un médecin qui lui a prescrit des pilules pour les nerfs.
— Et maintenant, elle couche avec lui?
— Mieux que cela, elle couche avec le premier venu.

• • •

— Dis donc Amidas, as-tu marié ta perle rare ou si tu continues à te faire à manger tout seul?
— Les deux, mon vieux.

• • •

— Arthur, as-tu une femme chaude?
— Ça doit, étant donné qu'elle brûle ma paye à chaque semaine.

• • •

— Mon chum, y est donc pas chanceux.
— Comment ça?
— Y est tombé sur le dos, puis y s'est cassé le nez.

• • •

— Les amis, savez-vous pourquoi on dit "un" fantôme, jamais «une» fantôme?
— Vraiment pas.
— C'est parce qu'il n'y a pas d'esprit chez les femmes.

• • •

— Mon vieux Hector, ça fait combien de temps que tu es dans la marine?
— Ça fait quinze ans, quinze ans que je voyage de par le monde.
— Tu dois t'ennuyer de ta femme?
— Je garde toujours une photo d'elle sur moi. Ça m'enlève toute envie de retourner à la maison.

• • •

— La fille dont tu me parlais l'autre jour et pour laquelle t'avais mille projets, l'as-tu revue?
— Oui et j'ai réalisé mon premier projet: j'ai fini par l'amener à la pêche, sur un beau lac, au clair de lune.
— Puis, as-tu attrapé quelque chose?
— J'espère que non.

• • •

— Ma femme m'a quitté, mon vieux.
— Tu peux toujours noyé ton chagrin temporairement dans l'alcool.
— Je ne peux pas faire ça.
— Pourquoi tu ne peux pas? Tu n'as pas d'alcool?
— Non, je n'ai pas de chagrin.

• • •

— Vois-tu les six filles qui sont là?
— Tu parles, si je les vois.
— Eh bien, sur les six, quatre sont venues dans mon lit.
— Puis, les deux autres?
— Oh non: ce sont ma soeur et ma fiancée.
— Donc on peut dire qu'à nous deux, on les a eues toutes les six!

• • •

— Fumes-tu toujours tes six paquets de cigarettes par jour?
— Ah oui! On m'a même demandé pour faire un commercial à la télévision pour la marque que je fume.
— J'espère que tu as accepté.
— Je n'ai pas pu, parce que je devais être en studio à midi, puis je cesse de tousser seulement après quatre heures...

• • •

— Ernest, j'ai l'impression que ma femme me trompe. Pas plus tard qu'hier, j'ai trouvé un étranger dans sa garde-robes.
— Mon problème est moins grave que le tien. Moi, quand j'en trouve, c'est toujours des gars que je connais.

• • •

— Tiens, si c'est pas mon ami Télesphore. J't'ai vu au cinéma hier soir avec ta blonde. J'pensais que t'étais aveugle.
— Aveugle oui, mais pas manchot.

• • •

— Armand a un beau manteau de fourrure qui va chercher dans les 15,000$. Il m'a dit qu'il était prêt à en faire cadeau au premier gars qui n'a jamais trompé sa femme.
— Qu'est-ce que tu attends pour aller le voir?
— Euh... euh... les manches sont trop longues pour moi.

• • •

— Eusèbe, ma femme est une maudite menteuse.
— Qu'est-ce qui te fait dire cela, Alphonsius?
— Elle a prétendu être allée chez sa soeur hier soir.
— Il n'y a pas de mal à cela.
— Non, sauf que j'ai laissé sa soeur à 4h00 du matin.

• • •

— Hector, comment ça va dans le mariage?
— Pas trop mal, même si j'ai eu un petit accident juste une semaine avant de me marier. En jouant au football, j'ai reçu un coup dans les parties génitales.
— Est-ce qu'on t'a fait un pansement?
— Oui, et le soir des noces m'a femme me dit: Je suis toute pure et toute neuve pour toi.
— Je lui ai répondu en riant: Et moi donc! J'ai même pas encore enlevé l'emballage.

• • •

— Je suis découragée, Armandine. Ça fait trois mois que je suis mariée, puis il ne se passe rien.
— Arrête donc de te plaindre.
— Si je m'écoutais, j'irais me chercher un homme.
— Tiens j'y pense, quant à faire, prends-en donc deux.

• • •

— Raoul, mon ami dentiste, est bien malheureux; il a surpris sa femme avec un autre homme.
— C'est bien triste, mais ce n'est pas parce qu'il est dentiste que c'est pire.
— Penses-y un peu, un dentiste qui trouve sa femme avec un mâle dedans....

— J'ai appris que tu te mariais, mon vieux?
— Oui et ça demande un tas de préparatifs, même si au début on ne meuble qu'une seule pièce.
— C'est la chambre à coucher, j'imagine...?
— Oui, on a acheté vingt morceaux.
— Tu ne trouves pas ça un peu fort, vingt morceaux?
— Un lit et dix-neuf pilules anticonceptionnelles.

• • •

— Salut, Tancrède, j'ai un problème de femmes. Peux-tu m'aider?
— Si je peux te rendre service, ça va me faire plaisir.
— Je n'arrive pas à me décider. Il y a Josette qui est grosse, 300 livres, mais elle est milionnaire. Quant à Jeannine, elle est belle comme un coeur, mais archi-pauvre. Qui choisir?
— Prends donc Jeannine puis laisse-moi donc le numéro de téléphone de Josette.

• • •

— T'as donc bien changé, c'est incroyable. Autrefois, t'étais gras comme un voleur et te voilà maigrichon; t'avais une abondante chevelure et t'as maintenant la tête comme un caillou; tu portes de grosses lunettes alors qu'avant t'en avais pas et le plus frappant, c'est que tout le monde te remarquait avec tes six pieds passés et aujourd'hui, t'es haut comme trois pomme. Que s'est-il passé Richard?
— Disons d'abord que je m'appelle pas Richard.
— Ah bon, parce que t'as changé de nom en plus...

• • •

— Tu vois ces deux femmes assises sur un banc là-bas? L'une est ma femme et l'autre ma maîtresse.
— Ah bon! Pour moi, c'est exactement le contraire...

• • •

— Moi, mon vieux, j'ai une femme en or.
— La mienne, elle est en taule!

• • •

— Zoé, j'ai entendu dire que tu étais tombé en bas du toit de ta maison?
— Ce n'est que trop vrai.
— Ça dû faire mal de tomber ainsi?
— Ce n'est pas de tomber qui fait mal, c'est d'atterrir.

• • •

— Dis donc, Ernest, la dernière fois que je t'ai vu, tu m'as laissé entendre que tu deviendrais peut-être fonctionnaire. Que fais-tu maintenant?
— Rien.
— Comme ça, tu est devenu vraiment fonctionnaire.

• • •

— Comment on fait pour avoir des relations sexuelles?
— Tu prends ta compagne par la main; tu lui dis des mots doux; tu l'amènes dans la chambre et là, tu vas tout comprendre.
LE GARS S'EXÉCUTE ET REVIENT PEU DE TEMPS APRÈS.
— Ça veut dire quoi, la migraine?

• • •

— Qu'est-ce que t'as aux oreilles?
— J'me suis brûlée avec le fer à repasser.
— Comment as-tu fait ton compte?
— Le téléphone a sonné. Je devais être bien distraite puisque j'ai répondu avec le fer à repasser.
— Puis, à ton autre oreille, qu'est-ce qui est arrivé?
— C'est quand j'ai voulu appeler l'ambulance.

• • •

Quatre amis jouent aux cartes et parmi eux il s'en trouve un qui est borgne.
Après quelques parties, il y en a un qui s'aperçoit qu'un joueur du groupe triche.
Fou de colère, il s'écrie:
— Je vous dirai pas lequel, mais s'il continue je lui crève l'autre oeil.

— Victor, je viens de perdre encore 50,00$.
— Mais comment ça, Jérémie?
— J'ai égaré mon portefeuille avec 50,00$ dedans. On vient de me le raporter et je perds 50,00$.
— J'aimerais comprendre.
— J'avais promis 50,00$ de récompense.

• • •

— Mais, mon brave, vous ne me racontez pas du tout la même histoire qu'hier?
— Naturellement, madame, celle d'hier, vous l'avez pas crue!

• • •

— Toi, le grand globe-trotteur, dis-moi: est-ce qu'il fait si froid que cela au pôle Nord?
— Il fait tellement froid que pour se laver les mains, il faut mettre des gants!

• • •

— Es-tu satisfait de ta nouvelle voiture? Est-ce qu'elle va vite?
— Si elle va vite? Je pense bien, elle a six mois d'avance sur mes revenus.

• • •

— Bonjour, Hélène. Tu viens souvent à cette buanderie?
— Je te la recommande, ma chère Françoise. Je leur ai confié trois chemises à laver. Ils me les ont rendues blanches, mais blanches! C'est d'autant plus étonnant qu'elles étaient bleues avec rayures quand je les ai apportées...

• • •

— Oh! madame, comme vous avez un beau petit garçon!
— C'est pas la peine de lui dire ça, fait calmement le bambin, il y a longtemps qu'elle le sait!

— Mon mari écoute l'émission de culture physique à la radio, chaque matin.
— Dites-moi pas qu'il fait encore de la gymnastique à son âge?
— Pas lui, mais la fille qui habite en face!

• • •

— Savais-tu qu'Anatole s'est suicidé?
— T'es pas sérieux; lui qui venait tout juste de se marier. Veux-tu bien me dire qu'est-ce qui lui a passé par la tête?
— Une balle de calibre 22.

• • •

— Ma chère Irma, comme vous avez de beaux cheveux aujourd'hui. On jurerait que vous portez une perruque.
— Mais c'en est une perruque!
— Alors là, vraiment, ça ne se voit pas du tout!

• • •

— Ce qui est fatigant, Ti-Gus, c'est pas le travail qu'on fait, c'est le travail qu'on fait pas.
— Alors tu dois être crevé, mon Tonton?

• • •

— Hubert, ma maison va lancer une nouveauté sensationnelle: la chemise d'homme sans bouton.
— Drôle de nouveauté! Des chemises comme ça, j'en porte depuis neuf ans que je suis marié...

• • •

— Isabelle, c'est la première fois que j'assistais à un concert et je n'avais jamais vu autant de monde.
— À ce point-là?
— Même le chef d'orchestre a dû rester debout pendant tout le concert.

• • •

— Bonjour, ma chère. Hier, on a fêté mon anniversaire de naissance. J'aurais aimé que tu vois ce magnifique gâteau: trente-deux bougies!
— Trente-deux, Hortense! Alors on a dû allumer les bougies par les deux bouts...

• • •

— Tancrède, t'aurais pas une cigarette?
— Non, j'en achète plus.
— Pourquoi?
— Rien que pour te faire perdre l'habitude de fumer!

• • •

— Sais-tu ce que c'est un raté?
— J'en ai une p'tite idée, mais j'aimerais connaître ta définition.
— Un raté c'est un type qui est parti de rien avec un billet aller-retour...

• • •

— Dis-moi Joseph, j'aimerais bien savoir comment vous faites vous autres, les Juifs, pour nous prendre tout cet argent que nous gagnons?
— Ta question me suggère une autre question. Comment vous faite vous autres, catholiques, pour gagner tout cet argent que nous vous prenons?...

• • •

— Bonjour, madame Richer. J'ai justement rencontré votre mari ce matin sur la rue Prince-Arthur, mais il ne m'a pas reconnue.
— C'est en plein ce qu'il m'a dit en rentrant.

• • •

— Je voudrais bien savoir qui est ce monsieur qui me regarde sans arrêt depuis tout à l'heure?
— C'est un antiquaire!

• • •

— Alphonse, tu devrais faire partie de notre chorale. C'est formidable. Au cours de nos rencontres, on boit, on mange, on danse, on flirte.
— Et vous chantez quand?
— La nuit, en rentrant chez nous.

• • •

— Pour maigrir, ma femme a suivi le conseil de son médecin et a acheté un rouleau à messages. Elle s'en sert depuis deux mois.
— Puis, as-tu constaté un résultat?
— Oui, le rouleau a fondu de moitié.

• • •

— Ma chère Églantine, vous avez une mine pitoyable; qu'est-ce qui se passe?
— Mon mari est mort il y a trois semaines.
— Oh! Et de quoi est-il mort?
— D'un rhume.
— Alors c'est pas si grave que cela.

• • •

— Hé! Bébert, où vas-tu comme ça avec cette grosse valise?
— Je pars en voyage de noces.
— Ta femme ne t'accompagne pas?
— Impossible. Il faut bien quelqu'un pour garder les enfants...

• • •